U0114531

縱橫古今談

朱高正作品精選集　第三卷

學生書局 印行

序

吳大猷

日前朱先生贈我其新作《朱高正作品精選集》三卷書稿，並囑我為本書作序。

朱高正先生於民國七十四年（值而立之年）獲德國波昂大學哲學博士學位，自翌年當選立法委員以來，在立法院論政議事，迭創新猷。朱先生敢言敢當、擇善固執，尤異於媚俗成習、阿諛成風的台灣政壇。

朱先生除對台灣民主化著有貢獻外，更有鮮為人知的學術成就。民國七十九（一九九〇）年，他在德國出版的學術著作《康德的人權與基本民權學說》，被全球哲學權威刊物《康德研究季刊》（Kant–Studdien）評論為研究康德法權哲學的四本必讀著作之一。此外，朱先生長年來鑽研博大精深的《易經》有成，近日在無線衛星電視台（TVBS）主播「乾坤大挪移」，佳評如潮，對國人重新瞭解傳統文化的精華頗有助益。放眼當代知識份子能兼治康德與《易經》者，實不多見，況朱先生爲活躍的政治家，洵屬難得。

朱先生於公餘之暇，寫作勤奮，以其良好的學術訓練爲基礎，對法政、社經、文教等各類問題，做廣泛而深入的探討。返國十年來，已出版中文著作合八大冊，逾一百二十萬言，字字珠璣、擲地有聲。今特自其中選出四十餘萬言，再加上新作合約五十萬言，名爲《朱高正作品精選集》，分三卷：

第一卷《現代中國的崛起》，所收錄的文章以「立足傳統的國家現代化理想」爲主，旁及兩岸三地的和平統一問題。朱先生向來主張以我國傳統優秀文化，融合——工業革命後西方思想的兩大流派——「自由主義」與「社會主義」，以爲完成中國全方位的現代化，提供一堅實的理論基礎。其格局之大，視野之寬，令人折服。

第二卷《台灣民主化的經驗與教訓》，以闡揚「立憲主義的國家哲學」爲主軸，間及內閣制政體與政黨政治，頗可一窺朱先生前後一貫的憲政理想。尤其〈天下至廣，非一人所能獨治〉一文，分析事理、引古諫今，其膽識與才學，實不多見。

第三卷《縱橫古今談》，主題爲「生活與家庭」、「歷史與讀書」、「教育改革」、「公共政策」與「對話錄」。其中言論，處處流露出朱先生的精湛學養，尤其〈不是達爾文的錯〉足令生物學者折服，而〈千古一帝秦始皇〉，尤令秦漢史專家自嘆不如。他可以說是一個重視傳統價值，而又能與時推移、並賦予傳統新生命的思想家。

朱先生十年來一直是個極具爭議性的人物，這套書的出版，應可提供大家第一手的資料。想要了解朱先生這個人，就一定要看他的書；關心國家前途的人，也非看他的書不可。朱先生治學之勤勉，問政之純真，在在使得筆者深信他的思想一定會對二十一世紀的中國產生極大的影響。筆者雖不曾深研政治，但樂於爲之作序，藉以略表對其肯定與敬佩之意。

朱高正作品精選集 第三卷

縱橫古今談

目錄

生活與家庭

目錄

歷史與讀書

【附錄】

教育改革

公共政策

對話錄

生活與家庭

經營夫妻關係的理念與技巧

隨著社會的進步，女性的角色日趨重要，傳統「男尊女卑」的夫妻關係也面臨挑戰。〈易傳〉曰：「天地睽而其事同也，男女睽而其志通也。」男女雖然有別，但却相需相求。作者揚棄宿命論的婚姻觀，鼓勵夫妻雙方要時常反求諸己，用心計較，努力經營「良好的夫妻關係」。

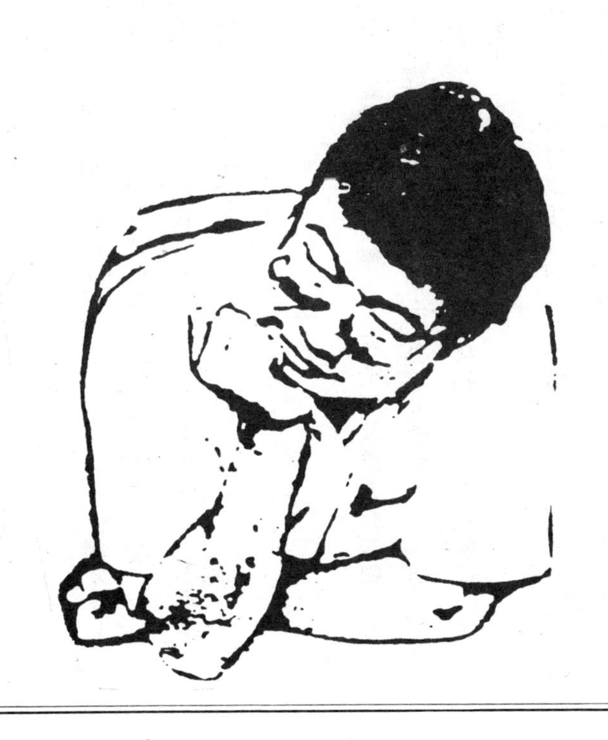

家庭是社會組織最基本的單位，也是最基本的文化單元，而現代化的國家是靠現代化的社會組織來維繫。因此，除了培養現代化的國民之外，更應建立健全的人際關係。家庭既然是社會組織的基本單位，現代家庭中最主要的人際關係——夫妻關係與親子關係——自然就成爲邁向現代化社會的主要課題。

婚姻的意義

德國哲學家黑格爾將「婚姻」定義爲「男女雙方互相約定放棄原有的獨立人格，而以共同形成一個新人格，來經營永續性的共同生活爲目的的契約」。這個定義支配了婚姻立法一百多年，至今少有人能對此定義提出挑戰，如果大家能接受這個定義，我們便能恰當地看待婚姻。

在傳統男權社會裏，婦女往往被當成傳宗接代的工具，婚後的婦女也不被視爲具有獨立的人格。從前的婦女在青、壯年時期一直揹負著生兒育女的重任，從十七、八歲到三、四十歲生十個八個小孩，乃極爲平常；而現代婦女則非但晚婚而且少產，這使得婦女有足夠的條件從事職業生涯。此外，家電產品日新月異，也大大節省了婦女從事繁忙的家務勞動的時間。何況現在台灣女性與男性有平等接受教育的機會，而一個人的成就，原則上取決於體力、智力與耐力。女性的體力固然不及男性，而智力則不相上下，至於耐力則顯然凌駕男性之上，在工業社會，機器取代了勞動力，因此男性的優勢地位頓失，女性的智力與耐力和男性相比，毫不遜色，這就造成「愈進步的社會，女性的地位愈高；反之，愈原始的社會，女性的地位就愈低」的現象。

由於現代女性已有自己固定的收入，不再需要倚賴男性。套句康德的話：「只有經濟上的獨立自主，才能夠保障精神上的獨立自主。」這使得女性由男性的附庸解放出來，而成為獨立的人格個體。

培養良好的夫妻關係

現代女性的角色雖然起了很大的變化，而男性對女性的觀念迄今卻仍未調整過來，傳統的價值觀仍支配著婚姻對象的選擇，一般人仍根深蒂固地認為夫妻之間，丈夫一定要年紀較大、學歷較高、收入較多、身材較高。這些想法透露出自古以來，統治階級者往往刻意維護某些價值規範，這種意識型態具有强烈的支配性格，其終極目標即在鞏固一個政權的穩定。傳統「男尊女卑」的社會條件——今天已完全改觀，所以當丈夫的學歷不如妻子，或看見太太的收入比他多、社會的人際關係比他好，就覺得不對勁，很容易產生外遇問題。婚姻的不幸，竟肇因於太太能力好，此乃男性的病態，女性何辜！

現代社會夫妻兩人都要上班，然而筆者卻仍看見電視一再播放這樣的劇情：丈夫在公司裏受到挫折，回家後就對妻子發脾氣。試問，只有先生有挫折，難道太太上班就不會遇到挫折嗎？既然先生願意為那五斗米折腰，婚姻與家庭的和諧，難道就不值得折腰一下嗎？婚姻就像一座堡壘，需要用心經營，至死不渝，誰先撤出，這座堡壘就垮掉了，所以婚姻是很「悲壯」的，決不是像浪漫的情人們所憧憬的一般。

選擇婚姻對象，固然重要，但一經決定，就應該接納對方的全部，而非有所揀選。如果再回味一遍黑格爾對婚姻所下的定義，就知道婚姻是很實際的，因為婚姻是由男女雙方構成的關係，彼此都有各自不同的生活環境及教育背景，如何使兩者能放棄自己原有的人格，不致勉強一方屈從於另一方，進而形成一新人格，這就有賴雙方很務實而有耐心地培養出良好的互動關係。

譬如要求另一半改變自己原來的生活習慣，談何容易？因為人不是神，每個人都有七情六慾，也希望得到別人的尊重。我們不能一味地只要求對方做一個「完美」的人，若能反求諸己，將另一半要求我改的習慣真的先改過來，我再回頭要求對方，他就容易接受而改變。有許多人看見別人的婚姻生活幸福美滿，總會說：「你命好，才娶到好老婆。」或「你命好，才嫁到好老公。」這種將婚姻的成敗視爲天生注定的想法，是非常不可取且不負責的。因爲他沒有反省自己到底努力與付出多少，只歸咎於宿命，這是決定論的看法。筆者要强調：「天底下沒有天生的好太太，也絕對沒有天生的好丈夫，只有良好的夫妻關係。」所以兩個人應共同去經營，去努力維持良好的夫妻關係。

表達關心，解決爭執

中國人是一個十分含蓄的民族，往往不善於表達內心的情感。不要因爲老夫老妻的關係，許多事情就認爲理所當然。「讚美」，是一種禮物，它可以使任何人都感到喜悅。像筆者有時因爲公務繁忙，連續兩天較晚回家，看太太的臉色就明白她因爲擔心我的健康而不高興。於是我連續一個星期，天天找理由稱讚她，雖然太太明知道筆者在哄她，但是因爲持之有恆，她曉得我很在乎她的感覺，自然就不會再生氣了。

其次，當夫妻發生爭執時，那常常不是「是非對錯」的問題，而應以諒解、同情與耐心來應對。遇到這種情形，我有一個絕招，即我說：「你真的這麼堅持？」太太回答：「是的。」我再重覆强調：「你真的不惜一切堅持到底嗎？」她如果還是相同的答案，我就說：「算了！聽你的，有理沒理都聽你的。」先讓太太平息情緒，這樣兩人就不會再有爭執。可是筆者這句話埋有伏筆，在太太來講，「沒理先生也聽我的，可見他很愛我」，在先生來講，「聽太太的，並不因爲她有理」，也保持了男性的自尊，一舉兩得，何樂而不爲？其實，對待自己的另一半，需要用心去培育愛情，而且必須不斷地去關懷它，只有這樣，夫妻關係才可大可久。

可以自己決定的人生大事

當代的青年可以自由戀愛，自己挑選對象，而性觀念的開放，更使兩性間的關係，面臨更多考驗。筆者絕對尊重婦女性行爲的自主權，但基本上我並不贊同婚前性行爲。因爲「自由」與「責任」是分不開的。有些人視婚姻如兒戲，認爲彼此若合不來，就分手算了。然而我們先不論子女或社會的責任問題，只問人生三大事

——出生、結婚、死亡——之中惟一可以出自己作主的婚姻大事，怎能隨便看待呢？如果連這麼重要的事情都決定錯誤，則今後還能有多大的信心，可以走完這條人生旅程。

現在離婚率偏高，歸根究柢是國民教育出問題。因爲學校教育並未教導學生如何經營婚姻生活，而政府也不重視，以致家庭問題叢生，社會不安加劇。如果能從細微處著眼，防患未然，就可以替未來降低更多的社會成本。

幼兒教育經驗談

〈易傳〉曰：「蒙以養正，聖功也。」培養健全的獨立人格與健康的人生態度，是幼兒教育的重點，父母應充分尊重小孩獨立自主的人格，才能培養未來民主社會的主人翁。

幼兒教育的根本目的之一，在於培養其健全的獨立人格與健康的人生態度。

在傳統社會裡，「長尊幼卑」式的權威教育觀念深植人心。要建立一個真正的民主社會，就得從幼兒教育的改進著手，務必使每個個體受到充分的尊重，同時，也懂得充分地尊重別人。我們常看到有人一方面高談民主政治，另一方面教育子女時，卻又掙脫不了家長權威的舊習，不是顯得突梯滑稽嗎？

人，因爲是有理性的，因此其人格的發展也具有無限的可能性。幼兒教育的特質就是從上面這種認識出發的，要建立民主社會，要培養能夠有效運作民主社會的「人」，就要從改善幼兒教育做起！在這裡，我想舉兩個例子給大家參考：

在留德期間，有一次，我看到兩位愛兒在陽台上焚燒一張五十馬克的鈔票（那相當全家半星期的菜錢），一般父母見狀可能不由分說就要責罵了，但是，我儘管心疼不已，還是先忍住氣，先詢問太太這兩天有沒有看到他們玩火，太太告訴我前兩天他們也曾在陽台上燒報紙取樂，她卻沒有嚴厲指責他們。因此，我就不敢發脾氣，只能和顏悅色向他們解說玩火的危險性。因爲在小孩眼中，紙鈔與報紙同樣是「紙」，假使焚燒那種「紙」（報紙）沒事，而焚燒這種「紙」（紙鈔）卻要遭嚴厲責罰，那父母豈不太莫名其妙嗎？這種教育不是典型的權威教育嗎？這如何能夠讓小孩心服口服呢？

另外一個例子是，偶而小孩犯了大過錯，我也會予以處罰，但是處罰一定要審慎行使，否則後患無窮。譬如說，去年我曾經處罰過孩子一次——用戒尺打三下手心。在處罰之前，我先問他們該不該打，待其同意後，再予處罰。但話說回來，小孩犯錯，就是父母管教疏忽，因此處罰完後，我一定也用戒尺重打自己的手心五下。如此，就可建立小孩正確的是非觀念，處罰是建立在是非之上，而非父母的權威之上！這才是使小孩自律自主的正確教育方式。

總之，以愛心和耐心來管教小孩，而不是訴諸權威，以一己之好惡、喜怒來管教小孩，這才能爲小孩培養出健全的獨立人格與健康的人生態度，也才能爲真正的民主社會打下堅實的基礎。

——《自立晚報》一九八九年七月九日

論吃苦哲學

不論是歷史的發展，或是個人的成長，危厄困頓未必是負面的，對它運用得宜反能激發出旺盛的活力，成就偉大的事功。《周易》經文中，屢見「利艱貞」，即在勉勵有德君子以吃苦耐勞來砥礪自己，期使德業不斷精進，以達「成人」的理想。

史學大師湯恩比在其巨著《歷史研究》中認爲，「挑戰與回應」模式，是人類文明的起源。當一個民族生存在很安逸的環境中習於守常，疏於應變，當有外來挑戰時，常顯得慌亂不知所措；反而是地處邊陲、貧困地區的民族，因爲刻苦耐勞、習於刺激挑戰，往往能夠造就偉大的傳統。湯恩比推翻過往單純由民族特質或地理環境來解釋文明創發的觀點。

其實若以文明爲研究歷史的單位，反觀個人歷鍊成長的過程，也有相通之處。曾文正公曾提到：「大凡艱苦憂患之時，即德業長進之機。」一個人若生活在安逸和順的環境中，希其惕勵自強，大概很難。證諸魏晉南北朝世閥子弟皆不堪大用，可以爲證。故萬世師表孔子亦不諱言「吾少也賤」。

人性其實是介於獸性與神性之間。禽獸在本能上卻好逸惡勞，而神性則超逸卓絕。人之所以爲人，貴在有理性，因此有反省能力，而不會自滿，並可以爲自己設定在現實不存在的道德理想。所以理性是人類能夠不斷掙脫獸性制約，趨向神性的憑藉。也由於人有理性，所以人是自由的。康德認爲，「自由是指可以使人獨立於一切經驗條件限制之外的能力」。例如，古人嘗云：「不食嗟來食」，對於飢腸轆轆的生物體而言，能夠飽餐一頓就好了，管他面子不面子？但是人類卻有能力突破經驗限制，抗拒生物性需求，追求另一種價值；這就是一種超越。「不食嗟來食」，不是爲了不吃而不吃，而是將純粹理性實踐化。生命固然可貴，但是還有比生命更可貴的。人類可以超然獨立於命定法則之外，設立理想、目標，爲維護尊嚴寧死不屈。如此，人類的「主體性」因而凸顯出來，他不是隨波逐流的芸芸衆生，他是自己的「立法者」，只服從自己所訂立的律令。所以，在一定的意義上，人是自由的，不受自然力規制；人是尊貴的，受自我意志的主宰。

這就是「克己復禮」的功夫。

也許有人會問：人生苦短，爲歡幾何？何必苦苦自律、汲汲追求？但是，就因爲人類不斷的克己復禮功夫，努力地「去人欲、存天理」，進德修業；如此，才可將上天所賦予的才分潛能，發揮到淋漓盡致。這是建立在對人生價值的深切反省上，亦即對潛藏在人性中獸性面的挑戰。如果人人都嚴格的自我要求，尚友古人，並在艱苦惡劣的環境下努力向上，則人類的成就將因而更加累積，遠於輝煌。

當然，人也有墮落的自由，人性好逸惡勞，誰也無法强迫；也唯有承認人有墮落的自由，才可凸顯奮勵向上的可貴。人們運用個人意志，「去人欲之私，復天理本然」，做一位「精神貴族」，尚友古人，自我提昇，才能突破生物性、社會性的必然。

——摘自《自立晚報》一九八九年四月十五日、五月十八日

古書親情一線牽

祖父留下來的線裝書啓蒙了年少的朱高正，並爲他紮下良好的國學底子，年少的時候得以接觸《易經》，使其學有所本，進而能會通古今中外。一九九三年底一趟大陸尋根之旅，朱高正得以確證自己爲先哲朱熹之後，撫今追昔，特以此文誌其赤子孺慕之情。

常有人要我介紹康德或黑格爾哲學的入門書。對無法直接閱讀德文原著的朋友，我總是建議他們讀《孟子》、《傳習錄》或《易經》，來替代鑽研康德或黑格爾。爲此，難免有人納悶，何以接受現代教育且在德國留過學的朱高正，竟然會對中國古書情有獨鍾？

這得從我父親談起。父親是台灣典型的老一輩讀書人。他受過完整的日式教育，壓根兒就瞧不起中華文化，對閱讀古書與燒香禮佛向來嗤之以鼻。直到我就讀初中時，父親即將退休，大概是上年紀的關係，他開始對祭祖有興趣。因此在清明掃墓時，我才漸漸得知祖父在同輩親友中書讀得最好。

古書幫我走進康德世界

其時，我也自認在同儕中成績最突出，所以微妙地想了解祖父的內心世界和他的人生觀與價值觀。强烈的好奇心驅策我去翻閱祖父遺留下來的古書。因此，唸高中時我就常利用課餘時間，似懂非懂地浸淫在《易經》、《四書》、《國語》、《史記》與《傳習錄》等書中。後來，拜《老》、《莊》與《易經》——即通稱的「三玄」——之賜，康德在西方向以艱奧難懂著稱，我卻能在博士論文的撰述過程中恢恢然游刃有餘。

已有八十多年歷史的世界權威哲學刊物《康德研究季刊》在一九九二年的書評中，將我於一九九〇年在德國出版的學術著作給予極高的評價。這對一個出身亞洲的學者而言，談何容易？但正由於擁有良好的國學基礎，才能使得我對康德的研究獨樹一幟。

古籍經典是先聖先賢在中國這塊土地上的智慧結晶。如《易經》源自北方；《老》《莊》則是南方的產物。讀這些祖父留下來的古書，使我漸漸走進中華文化的殿堂；對祖先的慎終追遠，發展爲對民族文化的深摯關懷。

最近我帶領龍發堂大樂團到江西與福建二省巡迴演出。行程中預定前往漳州，那正是我的祖籍地。

憑著模糊的記憶，我是渡台第六代，而父祖的墓碑上均刻有「和邑」兩字。因此，在前往漳州前，人雖仍在江西，卻已燃起尋根的强烈欲望。隨即打電話回台灣，請家人將族譜傳真到南昌，這才知道朱熹是我的三十代祖。震撼之餘，立即託人電訪漳州族親，確認朱熹就是我的先祖。於是利用樂團在九江演出之便，順道造訪廬山腳下朱文公的講學遺址——白鹿洞書院，撫今追昔，宛如故地重遊，百感交集。

訪問團抵達漳州後，立即安排尋根事宜。「和邑」即今天福建省漳州市平和縣的九峯鎮，我在朱家祠堂裡正式核對族譜。朱姓人家佔當地人口四成，上百位族親（大多晚我四到八代）聚集在祠堂熱烈歡迎這個遠遊返鄉，輩分也最高的親人。

遠遊返鄉輩份最高

我的祖先可上溯至顓頊、黃帝，曾輔佐過舜帝，武王伐紂時，有功封於「邾」，後加賜子爵。戰國時爲楚國所併，去「邑」姓「朱」。晚唐時（西元九〇四年），先祖朱瓌奉派率三千官兵戍守婺源，民賴以安，是以在此落地生根。八傳至朱松，亦即朱熹之父，因仕而移居福建建陽。再傳十代，適元末天下大亂，遷往寧化、南靖等地，最後才在和邑定居。

開基祖於明洪武元年（西元一三六八年）逝世，其墓地風景優美雅致，爲九峯鎮四景之一，背山面水，可遠眺綿延不絕的溪流，其盡頭處有一個絕美的轉彎。據說這座祖墳風水極佳，因此發現此地的堪輿師父也囑咐把自己埋葬於墓旁。

朱子行誼後世典範

由於朱文公學術地位尊崇，於清康熙五十三年間從孔廟東廡被移入大成殿奉祀，位列孔門十哲之一，此乃自秦以來唯一被入祀大成殿的大儒。事實上，中國傳統的承續，自孔、孟、荀以降，地位能與先秦諸聖並比的，非朱文公莫屬，其父朱松則依例入祀肇聖祠。

遙想戰國時代周天子式微，羣雄並起，天下無道，民不聊生，臣弒君、子弒父。孟子爲匡俗救世，起而闢楊墨。朱子當時的思想界由釋、道分領風騷，而儒學則沈潛不興，聖道晦而不明。爲了振衰起敝，朱子傾其畢生之力闡揚聖道，致力講學，並註解經書，融合周敦頤、張載、邵雍、司馬光、程頤、程顥諸大家，閩學終能與濂、洛、關並稱。儒學亦得以「理學」或「道學」的面貌復興。

軀體精神尋根有成

自從知悉先祖行誼後，我的內心踏實多了。事實上，《易經》乃羣經之首，儒道兩大家均歸本於《易》。回想高二初讀《易經》，對一個懵懂少年來說，實難窺其堂奧。直至近兩年重讀，或因年紀與智慧漸長，終能慢慢領會其中的奧妙與深義。今天研讀《易經》的人多從朱熹的《周易本義》入門。因此，闡揚易學對我而言，除了是哲學工作者的責任之外，更是身爲朱子後裔無可推卸之職。

這次大陸行，我不只找到軀體的根，更找到精神的根。精神上的有所本，使我今後面對現代化的挑戰，更能堅持「文化主體意識」，兼顧傳統與創新，爲未來的中國找出一條坦蕩大道。

——《聯合晚報》一九九三年十一月二十九日

血濃的印記

——找到我的客家血統

客家族羣在台灣一向遭到「大福佬沙文主義」有意無意的壓抑，以致客家人不習慣宣稱自己是客家人。朱高正維護客家族裔的尊嚴與權益一向不遺餘力，在赴大陸尋根、祭祖之後，才得知自己有客家血統，因此爲文發抒心中的塊壘。

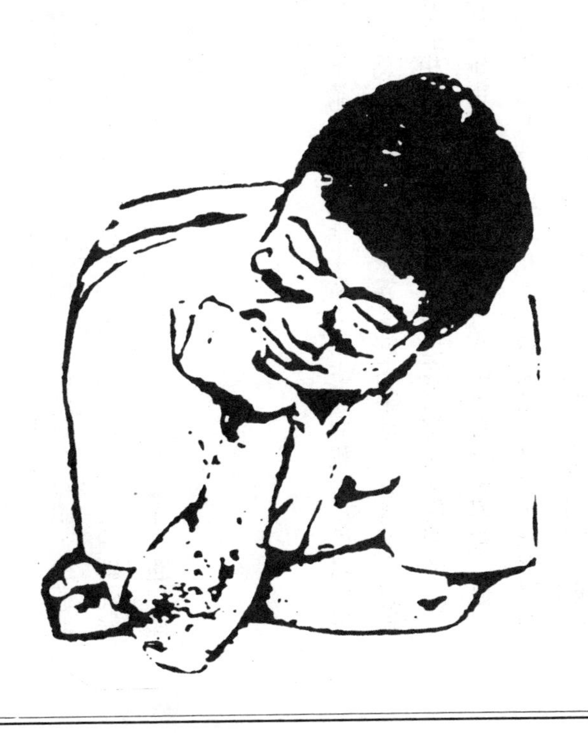

一九八七年三月二十日，輪到我向行政院院長俞國華提出施政總質詢，由於他答非所問，爲表示嚴正抗議，遂改以俞院長聽不懂的閩南語向身爲閩南人的副院長林洋港提出質詢。不料老委員羣情激忿，拍桌、怒罵不絕，我在情急之下，也以閩南語回罵。這就是所謂的「三字經風波」。

三字經風波

一星期後，我應邀至竹東地區演講。雖然當地主辦人士主動向我表示可以使用閩南語發言，我卻婉拒其好意。因爲竹東地區是客家族羣的聚集地，我既然反對國民黨政府勉强閩南人講國語；基於相同理由，我也反對强迫客家鄉親使用閩南語。

同年八月份，《台灣時報》在高雄市舉辦座談會，計有八位學者專家與會。輪到我發言時，尤清先生之弟尤宏突然帶頭起鬨，要求我用「台灣話」發言，聽衆以閩南語羣起鼓譟，主持人魏萼教授壓不住場。我見情勢不妥，因此，手掌用力往桌面一拍，喝道：「難道客家話不是台灣話嗎？」在場聽衆頓時愕然，無言以對。

大福佬沙文主義

隨著民主化的開展，本土化固爲時勢所趨。然而，「本土化」的真正意涵卻有待更進一步釐清。其實，在台灣講閩南語的人僅占全球講閩南語的總人數的二成而已，將本土化過度地化約爲閩南化，或者將「台灣話」與閩南語劃上等號，不僅有失事實，更是對非閩南人的不尊重，也充分暴露了「大福佬沙文主義」的心態。

在「大福佬沙文主義」排擠之下，客家族羣因爲居於少數族羣的關係，不但在語言上長期受到壓抑，在生活習慣上也未受到應有的尊重。其實，客家人本屬漢族中强勢的次文化族羣。分布於全球的客家人總數已逾一億，遠勝於閩南人的六千多萬。就文化史的意義而言，客家本爲「客卿」之意。在五胡亂華之際，北方門庭沒落的士族階級向南方遷徙，擔任富家子弟的教席，故中原古文化的傳統多爲客家人所保留。在文化的許多面向上均有極高的造詣，例如刺繡、音樂、詩歌、烹飪等。此外，依我的實際經驗，在台灣的客家農村部落多比閩南農村部落乾淨整潔。

朱熹是我的三十代祖

事實上，直到去年底我才知道自己擁有客家血統。去年十月二十日至三十一日，我帶領龍發堂大樂團到江西與福建二省巡迴演出。抵達江西南昌後，得知也將前往漳州演出，而那正是我的祖籍地。在尋根欲念的强烈驅使下，我隨即打電話回北港，請大哥馬上將族譜傳真到南昌給我，這才知道朱熹是我的三十代祖。震撼之餘，立即託人察訪漳州的族親。按郭壽華先生的研究，朱熹爲客家人；陳運棟先生在其著作《客家人》（聯亞出版社，一九八三年出版，第三百八十六頁）亦持相同的看法。

十月二十八日抵達漳州後，隨即安排尋根事宜，決定次日清晨啓程，預計上午十時到達老家——平和縣南街水門巷。但途中卻爲路旁的客家土樓所吸引，臨時起意，登樓造訪。有趣的是，當地閩、客雜處，這座土樓還曾被美國人造衛星拍下而誤以爲是飛彈發射基地呢！因此行程延後二小時，中午始抵達九峯鎮（即原平和縣治所在地）。上百位族親熱烈歡迎，使我既感溫馨又興奮莫名。九峯山清水秀，離廣東省邊界僅二十公里。

返抵台灣後，整理資料時赫然發現自己到達老家的時間（去年十月二十九日正午）正是先祖朱熹的生辰（農曆九月十五日午時），頓時整個人被震懾住了。高正雖然留學德國，攻讀康德哲學，卻始終以紹述孔孟聖學自許。如今，得知身爲一代儒學宗師朱子的後裔，更深感責任重大。

今年的朱文公誕辰正午，即國曆十月十九日，高正應邀至台灣唯一祀奉朱子爲主神的廟宇——嘉義朱文公廟，主持贈匾儀式。也在這一天匯寄人民幣五萬元給上海華東師範大學朱子研究中心，贊助其編修《朱子全書》。這項重大的學術工程計有二十七位教授投入，每年預算是人民幣十萬元，預計五年完成。我雖投身選戰，經費拮据，然身爲該朱子研究中心的名譽主任，整理祖先遺著實責無旁貸。此外，中國大陸目前只有一個獨立的基金會——孔子基金會，現在正展開籌辦第二個基金會——朱子基金會，並在四個月前即邀聘我爲董事長，高正自認才疏德薄，不足以堪大任，至今不敢應承。

客家尊嚴的捍衛者

自從政以來，我始終不遺餘力地維護客家族羣的權益。雖然在雲林老家僅有少數的客家人散居於西螺、二崙、崙背與大埤等較偏遠的地帶，然而高正每次參選的後援會重要幹部中具客家血統者卻占四分之一强。重義氣及對傳統文化的强烈認同是客家鄉親給我最深刻的印象。得知自己是客家人之後，更深覺我今後捍衛客家族羣的尊嚴，責任重大。

——一九九四年十月

留德甘苦談

一九八〇年朱高正隻身赴德求學，五年後學成歸國，並且在台灣政壇引爆了前所未有的震撼。他的留德經驗，對現在的台灣，甚至未來的中國，都有重要的意義。在這篇文章中，朱高正細述留德的緣由與留德期間的點點滴滴。行文中也流露出作者深切的愛國情懷，頗具參考價值。

出國留學在今天是極為平常的事，然而留德的人數卻始終只佔留學總人口中的少數，主要原因是語言不通、文化差異頗大，除非是唸理工科類的學問，否則想要在執事一絲不苟、民族性剛烈的德國人中求發展，是頗不容易的事。民國六十九年，我這個對德文毫無基礎的大學畢業生，就在師長的鼓勵下，隻身前往德國波昂大學，而且僅用了五年三個月的時間，就取得哲學博士學位。

這一切得從頭說起。

師長們的鼓勵

大四的我根本不熱衷於出國留學，那時臺大剛成立輔系制度，我是第一個拿到輔系學位的臺大學生，我主修法律，輔系是哲學系西洋哲學組。大學時代有三位老師對我影響很大，日後的出國留德，以及所寫的論文題目，都受這幾位教授的啓迪。一位是教憲法的李鴻禧先生，他上課生動活潑，常用外國憲法判決案例來解說，並確立以人權作為憲法重心的概念。是這位自由主義色彩濃厚的老師，將我引導入憲法學的門檻。另一位是哲學系的黃振華教授，他治學嚴謹，對學生非常有耐心，我曾經與他針對人的道德行為的本質及其與道德倫理的因果關係進行長時間討論，我這個外系學生終於心悅誠服。黃教授幫我的思維層次從社會科學提昇至智慧的法門，並使我一心鑽研康德學說，甚至留學前就已將博士論文題目暫定爲「康德的人權思想」。

而已逝的韓忠謨教授，無論是原先任臺大法學院院長，或轉任考試院銓敍部部長，都對我鼓勵有加。他爲人寬厚正直，凡事秉公處理，也很尊重學生的言論自由，我非常尊敬他。後來發生桃園縣長許信良因聲援余登發案參加橋頭鄉抗議遊行被停職事件，已身爲司法院副院長的韓老師因爲心情難過請辭副院長。我知道後特地去看他，韓老師送我一本法哲學的書，並希望我去留德。

由於這幾位受我敬重的師長一致希望我能出去多唸些書，李鴻禧教授甚至對我說：「你再不出國留學，在臺灣遲早會變成另一個毛澤東（意指才份夠，書卻看得不夠多）。」我被這樣刺激後，才決定要出國留學。可是李教授要我留日，我女友裘曼如當時正在美國留學，希望我也過去，然而韓忠謨教授卻又以留美前輩的身分勸我留德，經過一番掙扎取捨，我決定退伍後到德國去。

既然已決定要到德國唸書，接著面臨的就是必須通過教育部留學國家語文考試，和準備一筆可觀的留學經費。

無師自通學德文

對於德文，我是一竅不通，因爲根本沒學過，而坊間補習的效果又太慢，一切只有靠自己。於是，我每天至少苦讀十三個鐘頭的德文，背字彙的速度是一小時背二百五十到四百字，在猛K了九個禮拜之後，我對文法已頗有心得。令人莞爾的是，那時候的我一句德文也沒聽過，更不會講，所以考試題目中二十分的聽力測驗，我得了個「鴨蛋」，剩下的八十分，我竟得七十七分，以最高分順利過關。後來到了德國，在語言班的文法老師，有一回要學生造九種單複數不同文法型態的句子，一共有十八種情況。結果我只造了一句話，就把十八種文法變化融合在這個句子裏，老師非常吃驚，簡直不敢相信一個外國人能把德國文法，運用到這樣爐火純青的地步。

另外由於父親是公務員退休，家境並不優渥，我不想增加家人負擔，便得自食其力。當兵時，我很幸運地抽到空軍役，每天可以通勤上下班，因此我就利用晚上的時間，向補習班租教室，自己招攬學生開家教班。兩年後，我便帶著自己的積蓄，負笈留德，時間是一九八〇年的四月。

榮獲艾德諾基金會獎學金

我選擇進入波昂大學唸博士學位，是因爲這所大學是世界上研究康德哲學水準最高的學府，同時其法學院也擁有研究憲法學最强的師資陣容。我跑去舊書攤買了一本憲法學入門書以及Baerthlein（後來是我的博士論文指導教授）寫的哲學史，並利用教授約談時間，每兩週去拜訪他一次。我將他的哲學史仔細地拜讀之後，發現有六個地方的文法並不完全符合規則，與他談過之後，Baerthlein對我有了極好的印象。但因爲德國的教育制度與臺灣不同，他們幾乎全是公立大學，不瞭解臺灣的大學有所謂金字塔級的區別，所以入學之初，教授根本不承認我在臺大所修的學分，只得一切重來。當然，許多門課，我在臺大唸書時已有了很清楚的概念，經過一個學期下來，邏輯與哲學史兩門學科，我均拿了全班最高分。至此，Baerthlein才對我的程度和表現，刮目相看。他又看了我大學成績，決定全部予以承認，讓我不必補修，得以直攻博士。

留德後第二年，我得到了德國執政黨基督民主聯盟艾德諾基金會所提供的獎學金，使我在留學生涯中無後顧之憂。多年後，最令我感到驕傲的是，他們至今仍以當年培養出我這個學生爲榮。而我的女友裘曼如，在我課業和生活安定後，也從美國遠赴德國，和我完成終身大事，兩個兒子也相繼在留德期間出生。

與博士論文指導教授情誼深厚

Baerthlein教授是個極注重家庭生活情趣的學者，他對我這個攜家帶眷的學生說：「我的教授升等論文也是在哄小孩的情況下完成的」。不但如此，他覺得我們住的公寓太小，小孩的活動空間不夠，而且我寫論文也會受到干擾，建議我換房子，還自掏腰包爲我們的新家訂做了些櫥櫃，說是送給小兒子的禮物。五年多的留學期間，雖然只能靠獎學金養家糊口，日子過得很清苦，但Baerthlein對我們全家的關懷和照顧，使我能夠一面準備博士論文，一面分心照料孩子而甘之如飴，師生彼此建立了無比深厚的情誼。

記得在一九八四年十一月，我的妻子曼如爲了讓我能專心完成博士論文，決定先帶兩個孩子回臺灣。Baerthlein也特地到機場送行。教授一向十分疼愛仰丘和尚志，將他們視爲自己的孫子一樣，他依依不捨地說：「二十年後，讓他們也來德國留學。」我回答道：「教授先生，您也太瞧不起人了。如果二十年後他們還要來德國留學，那我們中國人還要來德國留學多久？我的抱負是——三十年後，您的孫子能來臺灣跟我寫博士論文。」後來，我們常常拿這件事做爲打趣的一個話題。

比普魯士人還普魯士的中國人

教授曾經形容我的行事作風「比普魯士人還普魯士」。比方有一次，我爲了準備寫博士論文，從圖書館陸續借了很多書回家查考。不久，接到了系主任的一封通知書，告知爲配合圖書館清理圖書，所有借書須於一個月內歸還，不過必要時可以馬上再辦借出。因此我立即扛了兩大皮箱的書，輾轉搭車到圖書館要辦理再借出手續，然而圖書館員卻執意不肯讓我再借出，兩人因而激烈爭吵，最後找來Baerthlein打圓場。

Baerthlein對我說：「萊茵地區遇到這種事，總是心平氣和笑笑地說，不必這麼認真嘛！」我不以爲然的說：「教授先生，如果要『和稀泥』，我留在臺灣就好了，不需要來這裏學習如何建立制度化的國家了！」最後，在我據理力爭下，按系主任指示再度借出書籍返家。

不過，儘管我們的關係良好，但對於學術問題的研討，可是一點也不含糊，

Baerthlein和我曾有兩次激烈的爭吵，辯到激動處還面紅耳赤。第一次是爲了論文中的一個看法，我自認那是我全篇論文最精彩的部分，可是他卻不同意，在爭辯了八個鐘頭，又請教了這方面問題的行家後，他接受了我的觀點。第二次爭吵，則是我直接向當代康德研究最具權威的觀點挑戰，事後，我的教授對我說：「你的見解可說是自康德逝世，近兩百年以來，最天才的解釋。」

另一位恩師亦爲名師典範

除了Karl Baerthlein之外，另一位恩師Hariolf Oberer對我的影響也非常大。這位新新康德派大將代表的是另一種典型的老師。他很有才華，把康德研究得十分透徹，曾給予我極大的震撼。初到德國的次年，我才開始能用德文閱讀哲學作品，然而每天晚上唸下來，雖然每個字都認得，卻不懂書上說些什麼。受到這種挫折，使我加倍用功，連續四十天每天花十三個小時苦讀康德的《道德形上學原理》，即使背得滾瓜爛熟，卻同樣一竅不通。直到與Oberer談過之後，我才對康德學說的精髓漸能體會，也因而打下堅實的哲學基礎。

Oberer是一位生活藝術家，對藝術、文學同具品味，寫文章的遣詞用字精確無比。他所蒐集的古典音樂唱片至少有五千張以上，畫冊之多也令人難以想像，進入他的家中就像進入一個古典音樂的世界。我和這位浪漫的德國學者，因而成爲最好的談話夥伴。他與Karl Baerthlein也都成了我心目中的名師典範，迄今難以忘懷。

取得博士學位後即展開文明古國之旅

坦白説，在德國留學的那段日子過得非常清苦。爲了節省開支，我所用的書多是從舊書攤買來的。我每天讀書都必須讀到半夜兩點才敢休息，而且除了在洗手間放了一部《二十二史箚記》外，我絕對不看任何方體字的書，好讓自己能全部沈浸在德文的世界裏。而爲了爭取更多的時間唸書，除非對方能用中文與我交談，否則我拒絕和德國人討論中國問題。因此即使日子過得艱辛，對於追求智慧和生命意義與價值的成果卻是豐碩的。

當我以最年輕而且是唯一東方人的身分獲得哲學博士學位時，那股喜悦和榮耀是筆墨難以形容的。而提供獎學金讓我在最短時間內讀完學位的艾德諾基金會，在恭賀之餘，並問我有什麼心願想幫助我完成。所以從一九八五年七月離開德國，他們贊助我以兩個月的時間到希臘、埃及、印度這三個文明古國考察，九月才回到臺灣。

走完這一趟文明古國之旅，我的心得是，人類沒有前途則已，若要真有前途，則有待於中華文化的復興。至今這個信念依然不變，當我在為國會全面改選運動而努力時，也都是靠所學和這種內心的信念支持著。如今回想起來，在德國唸博士的那段日子，真可說是我一生的轉捩點。

——一九九四年十月

哲學與人生

朱高正鑑於國內目前對哲學教育未予重視，以致社會大衆對哲學缺乏正確的了解。因此，應台灣工業技術研究院之邀，向科技人就哲學與現實社會文化的密切關係，做一番深入淺出的講演。

先從康德哲學的立場出發，說明哲學並不是一門玄虛的學問，而是要透過批判的方法，運用理性，標顯批判的、科學的、自由的「哲學精神」，以强調實質意義的自由，不爲既與的觀念、制度所侷限。最後以「實踐理性」之自律性與孔孟之道相契合，從而鼓勵每個人公開地運用理性，參與社會改革。

想像力的發掘

人類社會所以能進步，跟科學有密不可分的關係。我在德國專攻康德，康德在他那個時代是一流的牛頓物理學家，也是一流的天文學家，他發展出跟拉普拉斯（Laplace, Pierre Simon Marquis de）類似的星雲學說，另一方面，他比達爾文更早提出進化論的假設。

台灣的科學教育是不是做得好？我一直持著相當懷疑的態度。從事科學研究，最需要的是想像力；如何發掘問題，然後去設計實驗，需要靠想像力。所以今天我把重點放在「想像力」上面。每個人或多或少都有他自己一套的哲學觀念，今天我不跟大家講哲學的本身，因爲哲學的本身就和其他獨立的學問一樣，有它高度的專業性；就像你是學熱力學的人，大概也不會在大庭廣衆之下談熱力學的專業，因爲那是你的專業，你有你專業的驕傲，不必特別跟人談這個，但是我們可以談談熱力學的應用。同樣地，我不打算跟大家講哲學的專業，但我很淺顯地來談談，哲學跟人生有什麼樣的關係。

哲學化地思維

什麼叫做「哲學」，最通俗的説法，就是從希臘字「philos」（愛）跟「sophia」（智）兩個字加起來，「哲學」英文拼爲 philosophy，就是「愛智」的意思。比較淺顯、貼切地來講，也許可以引述康德的話，康德認爲哲學是不能學的，頂多只能説，學得如何哲學化地思維。比如説，你看亞理斯多德的著作，那不代表你在學哲學，你是在讀、在學哲學史，説過去曾經有某人寫過這樣的一本哲學作品。哲學本身是不能學的，只能説學得如何「哲學化地思維」。什麼叫「哲學化地思維」呢？就是指獨立思考的意思，康德説：「哲學精神基本上是一種批判的精神、自由的精神和科學的精神。」這是康德對「哲學精神」所下的三個定向。爲什麼哲學精神是批判的精神呢？大家不要聽到「批判」這兩個字就覺得怕怕，「批判」這個術語是康德在哲學史上第一個用的，談到康德哲學就離不開批判哲學，「批判」是一種很重要的方法學。今天自然科學之所以能夠這樣發展，跟康德的批判哲學有密不可分的關係。

略過康德，只有壞哲學

我講康德，並不是因爲我學康德，才跟大家講康德。連康德哲學的死對頭羅素也曾説「超過康德，有好哲學，但是略過康德，只有壞哲學。」羅素是康德的批評者，他爲什麼這樣講？因爲康德對於知識論的兩種主要立場：理性主義和經驗主義，做了相當程度的處理。康德批判哲學的方法和前人不同，我在這裏説明給大家參考。把康德的知識論弄清楚了，可以運用到人生上面，運用到社會文化的批判，如果你們了解這一點，大概也就可以比較容易了解我本人。

過去，人們常常在問，到底什麼是知識？有没有知識這種東西？套一句亞理斯多德的話就是「什麼是真理」？、「有没有真理這種東西」？康德對「真理」定下兩個特徵：「普遍的有效性」和「絕對的必然性」，也就是説任何知識一定不是對「此時此地的我」有效，應該對「任何時、任何地的任何人」都有效，這才叫客觀的知識。康德不像其他哲學家那麼無聊，花好多時間在問：到底什麼是知識？到底有没有知識？他完全從一個新的角度來提這個問題。

人憑什麼可以擁有知識

對康德而言，牛頓三大運動定律就是知識，是普遍有效的。質量不變定律，當然也是普遍客觀有效的知識。幾何學理，三角形的兩邊和一定大於第三邊，或兩點間最短的距離是一直線，這些在康德來講，都是普遍客觀有效的知識。康德不問到底什麼是知識？到底有沒有知識？但問：「人憑什麼可以擁有知識？即普遍客觀有效的知識在哪裏，人憑什麼可以說：我，以一個理性者，我有能力來擁有、認識它？」人的這種能動性、主體性，在哲學史上第一次被凸顯出來，就是康德在一七八一年的《純粹理性批判》這本書上提出來的。在這裏，康德開始運用他的批判方法。

康德分析，人有感性的能力，有悟性的能力，還有理性的能力。這裏的感性，是指感覺；悟性指推理；狹義的理性，是指人純粹的思辨能力。康德特別提到，「感性」是落到「直觀」的形式，也就是，任何知識要有這種先決條件，否則知識不可能。舉例來講，你能夠想像有什麼樣的一個事件不存在空間裏面、不存在時間裏面的嗎？如果我們對空間、時間沒有這種直觀能力的話，就不可能認識這些客觀的知識。這裏面，康德有非常精闢的論述，涉及到很多哲學史上的問題。

「直觀」與「概念」

我舉個比較簡單有趣的問題。「空間」對康德來講，不是一種「概念」，而是一種「直觀」，「概念」和「直觀」不一樣，概念的意思是：在好幾種類似的「存在」裏面，抽出一個客觀的「共相」出來，這叫「概念」。而「空間」就只有一個，這是「直觀」，就是想想剛剛看到些什麼東西，直接能夠想像，不必再去看了，那就是「直觀」，這裏面涉及傳統哲學史上的辯論。「空間」到底是有限的，還是無限的？康德有很精闢的論述。把「宇宙」分成「時間」和「空間」兩個範疇來討論，我們假定「時間」是有限的話，那請問什麼叫「有限」？有終點或有起點才叫「有限」，那假設有起點的話，起點以前的時間算什麼？又如果有終點的話，終點以後的時間又叫什麼？所以從這裏，可證明「時間是有限的」不能成立。倒過來講，如果時間是「無限」的話，那在人的理智上，沒辦法想像，因為你沒辦法找到一個定點，所以「時間是無限的」站不住腳。

二律背反

像這種「A或非A」兩個可能的命題，如果我站在「非A」的立場，雖並不能證明「非A」可以成立，卻可以證明A不能成立；倒過來講，站在「A」的立場，雖不能證明「A」可以成立，卻可以證明「非A」不能成立，康德稱它爲「辯證矛盾」或「二律背反」（Antinomies）。「二律背反」就是哲學的起源，好像是上帝故意要給我們「難過」，人老是要一直被這種問題糾纏不清。

範疇理論

康德花了很多精神、時間去分析「二律背反」，除了「空間」跟「時間」這種「感性之所以爲可能的先天條件」，康德也探討「知識之所以爲可能的先天條件」。人得到知識，一種是用感官的「眼見爲憑」，另外一種就是用「推理」的。比如說，天下雨，地就會潮溼，現在我看到四處溼溼的，那我可以推論，剛才下過雨。這大概就是佛家裏面的「現量」和「比量」。現量是直接看到的；比量是用比較推理的，從這個推理，康德發展出他的「範疇理論」。

何謂「範疇理論」？他把人所有可能的、有意義的言辭判斷加以分析，歸納出十二個「範疇」（categories）。分別從它的「量」（quantity）、「質」（quality）、「關係」（relation）與「樣態」（modality）來分類。比如說，從「量」來看，有「單一性」、「雜多性」與「全體性」；從「質」來看，有「實在性」、「絕無性」與「限制性」；從「關係」來看，有「本質性」、「因果性」與「相互性」；從「樣態」來看，有「可能性」、「現實性」與「必然性」。這些是很嚴密的邏輯思維，是我們做科學研究所會碰到的。

做科學研究不要帶著那種最原始的思考，以爲只有因果關係。A和B除了有因果關係，還有一個可能是，A是B的必然屬性；還有一種是A跟B「共在」的關係，只要出現A，一定同時出現B，兩者並沒有因果關係。康德的「純粹理性批判」花了很多的精神，分析我們人所有可能、可作的判斷，絕對逃離不出這十二個範疇。以性質來講，它有實在性、絕無性、限制性，若A爲肯定，它的逆命題就是非A，最後從A和非A還可以得到第三個範疇：「限制性」。限制性並不是說，從A跟非A可以導出一個結果；根據正反合的辯證法，這種以辯證法導出來的A跟非A的辯證關係，不是說A就對，也不是非A就對，而是符合什麼條件之下，A就對，不符合這些條件時，A就不對。在康德的思想裏面辯證法用得很多，因此，對事物的看法，並不是哪一種觀念對，哪一種觀念不對，而是符合那些條件，這種看法就對，當這些條件不存在時，這種看法就不對。

感性、悟性、想像力

除了感性和悟性康德還講到，人最可貴的是想像力。像電腦只涉及到悟性，至於最高層次的構想力、想像力，卻很難取代。所謂想像力，康德他用一個術語非常有意思，叫做Einbildungskraft（Imagination），有人翻成「構想力」。作爲科學工作者，你所學的知識如果一直都是分析的，那我看不會有突破性的成就。有創造力的科學家常需要作「綜合性判斷」。所謂「分析性」，是指，在一個判斷中，「賓詞」的觀念含蘊於「主詞」裏。比如說「A是B」，當B所蘊含的意義已包含在A的概念裏，這種判斷只不過是把A的觀念講得更清楚一點而已。綜合性的判斷就不是這樣，它說「A是B」，這個B並不包含在A之內，這樣賓詞就擴大了主詞的概念。

有機化學的創始者凱庫勒（F. A. Kekule），要不是他睡覺夢到蛇，那麼，有機化學大概還要拖延一段時日。想到蛇，原來構造式也可以把他連成一個Benzene（苯）出來，過去這種化學研究，從没人如此想像過，他可能是日有所思，夜有所夢，上帝看他那麼可憐，就托夢給他，夢到一條蛇，這就是創造，是過去所没有的。

天才自創法則

人最可貴就是這個「創造力」。科學家跟藝術家，有很多類似的地方。如果只一意地重覆別人的實驗設計，那大概不必有這種特質；如果你是從事研究創造的人，那需要一點點藝術家的這種修養。藝術要把不可能想像爲可能，這點很重要，所以康德花了很多時間强調這個「構想力」。康德在《第三批判》裏有一段話最吸引我，他說：「藝術需要天才，而天才不須要遵守一般的法則。這不意味天才不要法則，而是天才自創法則。」康德他是哲學史上第一個直接以「人」作爲一個理性的主體，來研究知識之所以可能的先天條件，大幅地凸顯人的「能動性」、「主動性」，放到實踐哲學的領域，就出現全新的面貌。

人可以「要死不要活」

康德認爲，人可貴的地方在於他是自由的。什麼叫「自由」？康德在他晚年（一七九七年）出版的最後一部著作中所下的定義說：「自由是指那種能夠完全獨立於經驗因素的制約，而使純粹理性本身的要求，成爲實踐的那種能力。」人的尊貴就在這裏。這句話是什麼意思呢？我舉例來說，人會「趨福避禍」，這是從經驗歸納而來的，但是像「不食嗟來食」這個故事，不食嗟來食者卻寧死不屈。依照一般的社會經驗法則，人是「要活不要死」；但康德說，人可貴的地方就是可以「要死不要活」。這是康德偉大的發明。趨福避禍；福，最大的福就是長壽。漢武帝想長壽，毛澤東當然也想長壽，誰不想長壽？長壽、永生是福的極至；避禍，就是不要死嘛！死就是最大的禍害。而人就是有那個能力，可以獨立於經驗法則，獨立於這些經驗因素的制約。

實質的自由

再看下一句康德說：「因爲要讓純粹理性本身的要求成爲實踐，純粹理性本身的要求純粹基於義理的要求，該怎麼樣，就怎麼樣，即使要我犧牲性命，也在所不惜。」孟子也有一段話跟他很接近：「所愛有甚於生者也，所惡有甚於死者也。」我所堅持的、我所要的有比「生」更重要的。所以說，在這一點上，康德和中國傳統的儒家思想完全契合。康德最大的成就，就是他點明人有自由的能力，所以可以完全摒除社會心理的經驗法則、經驗因素的制約。經驗因素可以影響我們，但絕對不能制約我們，人之所以可貴，就在於能讓純粹理性的要求成爲實踐，如果你有這種認識，你的人生觀會有很大的不同。也因爲這點，人和其他的禽獸不一樣。禽獸也都要維持生命、不死，而人除了生死之外，還有更高的存在意義，更值得他生死以之。康德所謂的實質的自由，是指想像力，把現實不存在的東西想像成可能存在的；把現實存在的東西，想像成可以被排除，可以被改變。

我們把這個理論運用到社會上，根深蒂固的現象是可以被改變的，爲了要改變它，就要開始動腦、動手、動脚去挖掘它、改造它。當一個比較有獨立思考能力的人是比較痛苦的，像「國會全面改選」這種問題，三年多前我就認爲非把它變成全國的共識不可，我花了大概八個月才讓大家覺得國會應該全面改選。在這個過程當中，爲了達到目的，用了很多策略，有人就講，怎麼跳上桌子了呢？最起碼，要跳上桌子我是有考慮的，好歹我也是個留德博士，我也要形象，但如果說機會來了，在這麼緊要的關頭，可以給他們很大的衝擊，讓他們好好去反省，如果爲了要維護自我形象這種經驗利益，爲了要避免自己的不利，而犧牲了在純粹理性的要求上該作的，那會覺得很沒有尊嚴。

啓蒙運動的哲學家

奧地利的思想家Karl Popper在康德逝世一百五十週年（一九五四年），在英國ＢＢＣ電台作了一個專題演講，題目是「啓蒙運動的哲學家康德」。了解康德的人不多，「康德」雖然很熱門，但不好讀。Popper是《開放社會及其敵人》的作者，他把康德定位在「啓蒙運動的哲學家」我非常地贊同。我到德國專攻康德，也是因爲我認爲他是啓蒙運動的哲學家，是在專制的普魯士王朝、在法國大革命那個風潮裏的一個總結性的哲學家。過去的國民黨統治我不好意思叫它「不民主」或「反民主」，我稱它爲「前民主」。我認爲我去學康德如何在很專制的普魯士揮動着羽毛筆來傳播新觀念、新思想，將來回台灣，一定很有用。

獨立運用理性

什麼是啓蒙運動？我引述康德在《何謂啓蒙運動》這本小書裏所下的定義：「所謂啓蒙，就是從歸咎於自己的未成年狀態中走出來的意思。」何謂「未成年狀態」？就是在沒有第三者指導的情形下，就無法運用自己的理性。比如說帶小孩買玩具，從旁指導他什麼玩具符合他的年紀跟需要。在成年人的指導下，他才能運用自己的理性，這叫做未成年狀態。哪一種未成年狀態是要歸咎於自己的呢？不是因爲你心智尚未成熟，而是因爲你缺乏決心與勇氣、怕動輒得咎、怕會犯錯、怕做不到盡善盡美，所以不敢獨立去運用自己的理性，這一種就是歸咎於自己的未成年狀態。

所謂啓蒙，就是要從這一種歸咎於自己的未成年狀態中走出來，走出來幹嘛？就是你要有勇氣、有決心，自己獨立來運用你自己的理性，所以那時候大文豪席勒(Schiller)就講：「Sapere aude(Have the courage to use your own mind)」；要有勇氣，運用你的理性，把你對公共事務的意見公開地講出來，然後別人也才有機會針對你的想法，再予批評，漸漸地就形成一種公開討論的風氣，這就是一個進步的社會、理性的社會所追求的。

啓蒙運動就是鼓勵每個人要公開地運用理性，沒有什麼話不能講，我回台灣就一直鼓吹這個。你講出來，不代表你的意見就是對的，真理的本質是辯證的，只有在辯證的過程當中，你才能掌握真理。沒有最終的真理，沒有絕對的真理，沒有任何一個命題是絕對不能被挑戰的，它總是代表某一特定時代的客觀、共同的價值標準，都可重新被加以挑戰，這是比較健康、開放的心態。這種心態可能使你隨時面對不穩定的狀態，但知識份子在精神上本來就比較不能過得太平靜，本來就比較會想東想西，常常有些苦惱，而這些苦惱常就是社會進步的原動力。

思維方式的改變

康德告訴我們，我們有自由的能力，有能力成爲自己的立法者，有能力違背一般法則，自創法則。最後，我引用康德的話來結尾，他說：「經由革命，個人的專制、暴虐固然可以一掃而空，但隨之而來，往往是新的成見，取代舊的成見，繼續主宰著人民大衆。真正的改革，只有經由思維方式的改變，才能夠得到確保。」這就是我一貫的立場。

過去學校的教育常是下一個A命題給你，然後你就「因爲A，所以B，所以C」一直所以下去。所謂思維方式的改變，就是把「因爲……所以……」倒過來思考，給一個命題A之後，你不會一下子就接著A再去推論，而是按照康德批判哲學的方法，先質問A憑什麼能夠成立？A能夠成立的先決條件是什麼？可能是A_1、A_2或A_3，如果A能夠站得住腳，再繼續推論下去；否則，就不再討論，說這個不合時代要求，這就是哲學的批判精神。

我們不要莫名其妙地從大家習以爲常的命題去推論；不要把傳統的看法不加批判、思索，盲目地信以爲真，也不管社會現狀，把它當作不能改變的。我隨便舉個我身體力行的例子給各位看。結婚的紅色炸彈常炸得大家面目全非，十年前我結婚時就身體力行，探討婚禮宴客有道理嗎？我得到一個結論，因爲古代農業社會，一個人一輩子要認識超過二百個人談何容易？結婚是兩姓結緣，在這種情形之下，要認識認識對方，然後藉這個機會，親友聚聚。這是結婚喜宴的原始原因。今天情況不一樣，一天可能認識三、五十個人，生意朋友要請，一面之緣的可能也要請，請了這個沒請那個，人家說不尊重他，弄到最後，勞民傷財，大家疲於奔命。我結婚的時候跟我老爸講，他邀請的僅限於親戚或最要好的朋友，再加上我們小倆口最要好的朋友，就這樣，也不收紅包，將來我們讓人家請，也不繳紅包，我的這種模式，朋友大概都了解。對於傳統遺留下來的習慣，我們都要抱著這種角度來看。

一種確信

作爲康德的門徒，是因爲康德給我的思路和儒家非常地接近。研讀他的批判哲學，給我的人生觀，不是轉變，而是一種確信。哲學精神，是一種批判的精神，並不是對現實社會的存在或傳統留下來的盲目接受；而是要經由思維方式的改變，問憑什麼這一套制度還存在？當整個時代條件都在改變，我們就要重新評價許多事情。所以說，哲學精神是一種批判的精神，這是從負面的意義來看；從正面的意義來看，它卻又是一種自由的精神，能夠有想像力，自由創造的那種精神，最後，它當然是經過嚴格推論的，完全符合科學的精神。

（徐文杰整理）

——《工研人》第二三期，一九九〇年七月

歷史與讀書

漫談全方位的閱讀經驗

在這篇長達一萬兩千餘字的長文中，朱高正首次披露他獨特的讀書經驗與祕方，他的文思泉湧、運筆流暢、博聞强記、論證宏偉，在在予人留下深刻的印象。作者循循善誘鼓勵大家多讀書，一再地旁徵博引古今中外的例證，來論述良好讀書風氣的養成與國運興衰的關係。作者也指出閱讀習慣的養成對個人人格自由發展的重要性，他也對時人不夠「强勉」提出中肯的批評，並直指非從制式教育的改革著手，則無以徹底解放國人的創造力。

朱高正特別强調閱讀的「主體性」。他認爲「閱讀」並非只是片面的攝取新知，毋寧是讀者與古聖今賢在從事雙向溝通與精神對話，「閱讀」本身就是一種互動的創造過程。

朱高正在這篇長文裏頭，呈現出罕爲人知的一面。他以一介書生投入常人視爲畏途的政界，却仍能中流砥柱，堅持理想，誠屬難得。在本文中，處處流露出作者對中國歷史文化的熟稔與熱愛，與對時局改革的殷望與期待，從這個角度或許可以幫助大家了解這位風雲人物。

閱讀是人類學習新知最主要的方式，閱讀是在與古聖今賢對話，從而豐富了我們的人生，擴展了我們的視野。藉著閱讀，個人得以啓蒙，國家現代化得以完成。本文以漫談的方式跟大家聊一點個人閱讀的經驗。我想分成六個段落，首先談讀書的重要性，然後介紹朱子如何教人讀書，接著談讀書的意義，讀書的三個層次以及如何培養閱讀能力，最後再做一個總結；首先，我們來談讀書的重要性。

(一)讀書的重要性

在人類重大的歷史轉型期中，都會有一些具有濃厚使命感的知識分子提倡讀書。

近現代意義的歐洲是在啓蒙運動普及之後才出現的，基本上來説，從法國的服爾泰提出歐洲大陸應全面啓蒙開始，啓蒙運動就有一個很重要的特色，就是要求「由神學走向人學，從宗教永恆的關懷，轉到對現世、對人生的關懷。」用一句最直接的話，就是要求從以「神」（theos）爲中心的世界觀走向以「人」（anthropos）爲中心的世界觀，亦即是從所謂的「神學」（theology）走向「人學」（anthropology），換句話説，就是由教會走進世俗的政治社會。

服爾泰曾公開表示，他在英國期間，受到牛頓物理學很大的衝擊，他推崇牛頓以簡單的運動三大定律來解釋整個宇宙的生成變化和天體運動，這乃是牛頓將人類的理性，運用到自然現象的非凡成果。

中國是啓蒙運動時期歐洲極力要模倣的對象。服爾泰認爲中國雖然没有教會，卻發展出那麼典雅的禮俗文物、典章制度，有那麼大的廣土衆民，有如此悠遠的歷史傳承，傑出的科技成就，就是因爲中國的古聖先賢很早就把理性運用到政治、社會、人事各方面。所以説，在啓蒙運動時代，歐洲人就是要求掙脫出傳統的、封建的，以教會爲主導的「神權統治」(theocracy)時代，而進入一個新的歷史階段。

一般説來，史學界多把一七八九年的法國大革命當做是啓蒙運動的一個高峯。狄德羅與康德是啓蒙運動時的兩位健將。法國哲學家狄德羅（一七一三—一七八四）是「百科全書派的領航者」，現在我們所看到的百科全書是在狄德羅率先提倡下所編纂的，當時網羅了許多一流的學者（包括盧梭）參加百科全書的編纂，他就是希望能編出這種類書，不僅在自然科學的領域，而是包括人文的、社會的乃至全面的領域來進行啓蒙。狄德羅鼓勵大家多看書，而且他還身體力行來編纂百科全書，也開始了像《大英百科全書》（Encyclopaedia Britannica）這樣的傳統。

另外一個重要的啓蒙運動思想家，就是康德（一七二四—一八〇四）。《開放社會及其敵人》（*Open Society And Its Enemies*）一書的作者卡爾·波帕（Karl Popper）就稱呼康德爲啓蒙運動的哲學家，他把康德定位爲啓蒙運動的導師。

康德本身也寫了一本《何謂啓蒙運動》（*Was ist Aufklaerung*），這本書雖然不厚，但對世人的影響非常大，書中有不少觀點，我想在此與大家分享。

康德認爲，「啓蒙」是指「一個人要從歸咎於自己的未成年狀態中走出來」的意思。什麼叫做「未成年狀態」呢？康德認爲就是指假設沒有第三者從旁指導的話，自己就無法運用自己的悟性及理智的狀態。像小孩子必須父母親在旁指導和提供意見，才能夠獨立運用自己的理智。這就是一種未成年狀態。

那麼哪一種未成年狀態是該「歸咎於自己的」呢？康德講得很清楚。他說，不是因爲心智尚未成熟，而是因爲缺乏決心、勇氣和擔當，不敢獨立運用自己的理智的狀態，叫做「歸咎於自己的未成年狀態」。

所以康德認爲，所謂「啓蒙」，就是要求每個人要從這種歸咎於自己的未成年狀態中走出來；要求每一個人針對任何可以公開評論的事物，把自己內心的看法、想法講出來，也就是要求每一個人公開地去運用自己的理性。

把你的看法講出來不代表你的看法就是對的，但至少可使別人針對你的看法提出評論，相對的，你也可針對別人對你的看法再予以評論，這樣就形成了一個公開討論的環境，在此情形下，我們的社會就漸漸走向開放的社會，任何的決策，總不是在黑箱子裏面作業，而是經得起各方質疑，這就是啓蒙的精神，當然也帶動了民主運動。

我們可以說，從法國大革命以降，人類過去兩百年來的政治運動，除卻民族主義、宗教狂熱之外，以理性爲主要訴求的全球性政治運動，只有「立憲主義運動」（Constitutionalism）和「社會民主運動」（Social Democracy），只不過台灣目前在這方面仍相當落後，這裏暫且不談。

歐洲是經啓蒙運動而進入近現代意義的社會，也就是對當時的知識界，甚至一般識字且能夠獨立思考的人，做一種思想改造的功夫，而這一切都要經過讀書來引進新的思想。

看看我們的鄰國日本，日本在推行明治維新的時候，出現了一位被尊稱爲「現代日本教育之父」的學者——福澤諭吉，他也是現在日本慶應大學的前身——慶應義塾的創辦人。他本來是專門搞荷蘭學的，後來才開始搞英學，終其一生的基本思想，就是：如果要把日本建設成一個現代化的國家，其先決條件就是要培養現代化的國民，而現代化國民的特質就顯現在具有獨立的精神氣象與人格氣質。那如何能夠有這種獨立的精神氣象與人格氣質呢？他認爲莫過於思想的啓蒙。所以說，他一輩子寫了不少書，每一本書都是在幫助日本國民打開眼界，看清外面的世界。例如他的《西洋事情》是日本至今仍舊家喻戶曉的書；更重要的一本《勸學篇》則是鼓勵日本國民要多讀書，甚至當時還有一位叫小川武平翁的，識字不多，到五十二歲才會寫信，也盡全力閱讀《勸學篇》。所以說，日本之所以能夠成爲一個現代化的國家，絕非偶然。

在中國現代史上也的的確確有一批先知先覺，在從事推動讀書的工作。首先必須提到的是嚴復，嚴復是「馬尾船政學堂」第一批派往英國皇家海軍學院的留學生，他回國之後未能受到重用，故將大部分的心力投注於翻譯西洋著作，如《天演論》等；第二個要提到的是梁啓超，梁啓超可說是現代中國最努力於著作、最努力於鼓吹新觀念的一個思想家；再者要提的如蔡元培、陳獨秀、胡適等人，均鼓吹要有新觀念、新思想，但是成績卻不能和日本相比。

此外，值得一提的是，日本人統治下的台灣，曾有一批熱血青年到日本去留學，他們發現台灣人民的思想閉塞，應該幫助台灣民衆提高知識水平，所以他們就組成「台灣文化協會」，每年的暑假回到台灣開辦夏季學校，下鄉辦文化演講會，鼓勵大家多讀書、多看報，這可以說是台灣的知識份子在現代化過程中所盡的一份心力。

談到讀書的重要性，可分爲兩方面來看，第一部分是對整個國家社會，第二部分是對個人。

讀書，對國家社會是相當重要的。一個國家如果單單只靠政治民主、經濟繁榮，是撐不了多久的，因爲一個國家可大可久的原因，主要是倚賴文化，而不是政治、經濟。沒有文化基礎或沒有文化理想的國家是難以持久的，而讀書對國家社會最重要的影響就在於文化發展上。

拿台灣來說，不可否認，台灣在經濟上已達到相當繁榮的程度，而政治民主也已經早於五、六年前即一步步地發展當中，但是整個精神文明方面卻是非常可悲的。嚴格來說，台灣目前一般的知識水準實在離我們應該擁有的還差一大截。

大家不應迷信那些統計資料，認爲台灣有多少碩士、博士，或是台灣一年可製造多少的學士。因爲如果大家仔細的話，可能會發現，現在台灣大學畢業青年的知識水準，可能比不上日據時代一個中學畢業青年的知識水準。而很多拿到博士學位的人，可能一輩子學問最好的時候，就是當他拿到學位的那時候，因爲他只是藉著博士學位謀取功名利祿，一拿到學位之後，知識水平就停滯不進，甚至一落千丈，這是非常可悲的。此外，很多碩士學位的，可能只有大學程度，而學士學位的，可能只有高中程度，爲什麼呢？因爲進去難，出來容易。這的確是台灣社會的一個隱憂。

我常常在想，如果拿台灣市場賣菜的歐巴桑和日本漁市場叫賣的歐巴桑相比，兩個人對現代世界的圖像將會有很大的差異，台灣的歐巴桑幾乎是近於無知，這是台灣社會更進一步發展的另一個隱憂。

從這些例子，很明顯可以了解，讀書是非常重要的。整個國家社會的發展、文化的建設、觀念的溝通及新資訊的傳遞，都要藉由書籍來做。

從一個國家出版業的發展狀態，可以看出其未來發展的潛力。像現在台灣以《腦筋急轉彎》、《軍中笑話》這類書籍最爲暢銷，一版都是一萬册，而且連續再版，這就看得出台灣社會前途黯淡，愈來愈沒有文化水平。在日本的觀念卻不是這樣，他們都相信如果全體國民有看書的習慣，願意吸收新觀念，那對整個國家政策各方面的推行就會有很大的幫助。我想日本之所以能夠那麼進步，這點理由是很重要的。

讀書對個人而言，也相當重要，但由於涉及了人格自由發展的問題，內容涵蓋很廣，我們將於第三部分再詳談。

(二)讀書的方法

如果講到「全方位的閱讀經驗」，我想每個人都很有限，事實上，過去很少人教人如何讀書，但朱熹是個例外。朱熹論讀書的文字在其《朱子語類》或其文集中經常可見，姑且不論他在學術地位上的爭議如何，光是過去八百年來所編纂的「朱子讀書法」就不下一百種。

朱熹談讀書大致上分爲三個部分：

第一部分，是朱熹如何看讀書。

爲學的功夫可以六個字來總括，那就是「尊德性、道問學」。在朱熹看來，讀書的目的是爲了要「尊德性」，「尊德性」可以說是宗旨，「道問學」則是手段，也就是說讀書都是爲了要「尊德性」，「尊德性」是「道問學」的目的。

第二部分，是就道問學稍加申論。

朱熹引用了《中庸》所提的「實踐」的功夫，即「博學之」、「審問之」、「愼思之」、「明辨之」、「篤行之」。他認爲一切的求知活動（學、問、思、辨），其結果都是爲了要實踐（「篤行之」），就是把所讀到的、所學到的做爲立身行事的張本，而這個看法正好與西方大哲學家康德不謀而合。

康德在其三大名著中的《實踐理性批判》，開宗明義就提到：「一切的理論都是爲了實踐，實踐優先於理論。」康德這裏所講的理論，是指理論理性，實踐是指實踐理性，理論理性涉及的是知識，相當於朱熹說的學問思辨的功夫，一切都是爲了要篤行實踐。實踐涉及到我們內心立意或外部行爲的決定，而這決定主要是掌握於我們自己。所以朱熹所講的「道問學」是爲了要「尊德性」，在這裏是完全一致的。朱熹更進一步認爲做學問本身就是在修身養性，「爲學」本身就是一種「養心」的功夫，所以在這一點上，「尊德性」和「道問學」事實上是一而二，二而一，兩者是分不開的。這與康德所主張的理論理性與實踐理性是一體之兩面，也深相契合。

第三部分，是朱熹如何教我們讀書。

朱熹提出了三個讀書的原則，一是「下學上達，即事求理」，朱熹反對空談理論，他認爲應該由身邊淺顯易懂的事窮理致知，而後再求更高深的學理，不要好高騖遠，徒尚空談。

二是「虛心專意，循次漸進」，朱熹認爲讀書時不可預設立場，應當虛心尋求作者的真意，循次漸進，慢慢來，不要用跳的。因此，他主張讀一本新書時，不要同時讀其他的新書，不過他也提醒我們，不要同時讀其他新書，卻須要兼讀舊書，過去讀過的書也要拿出來重讀、查閱或印證。

三是「虛心求義，莫執己見」，朱熹認爲讀書時自己的姿態要放低，虛心求取真義，不可固執己見，他曾經說過「衆家說有異同處，最可觀」，亦即讀書真精彩處，在發現意見不同時，這個意見不同包括該書作者與另一位作者的意見不同；或作者與讀者意見不同。意見不同的意思並不是一開始就意見不同，而是說當你跳進去的時候要虛心，而當你讀完整本書以後，當你真的了解它的時候，你自己就要拿出主見，表現出閱讀的主體性，並可公正無私地與作者論辯，而真精彩處就是在這裏。

㈢讀書的意義

亞里斯多德曾經分析人之所以異於禽獸，在於人類會使用語言，藉著語言，人可以將自己內心的感觸或看法表達給他的同類，他的同類亦可在收到訊息之後，藉著語言說出自己的感覺，這就形成了溝通，只有藉著語言，才能進行一種比較抽象形式的溝通，透過這種溝通，社會才有可能存在，而一切道德規範亦得以建立。

當代文化哲學家，也是文化哲學的開山始祖卡西勒（Ernst Cassirer），一反過去柏拉圖所說「人是理性的動物」的傳統論調，認爲「人不是純理性的動物」，他認爲人有時候是非理性，有時是反理性，有時則是超理性的動物。他說「人是會運用符號的動物」，這種說法客觀多了。符號，有些是理性的，有些是非理性的，有些是反理性的，也有些是超理性的，像宗教就是超理性的。事實上，所有的符號中，最重要的就是語言。符號有很多種：手勢、標誌、電碼、隊形等都是，而語言做爲一種符號來說，是最傑出的一種，因爲任何可用符號表達出來的訊息，皆可用語言來表達，且就普遍性和精確度而言，語言是功能、功效最大的一種符號。

語言與理性有很密切的關係。語言，英文是「language」這個字，它源自拉丁文「lingua」原意是「舌頭」，引伸爲「説話」、「語言」。而「説話」的希臘文「logos」，相當於中國古代所講的「道」，是真理的意思，也是一種思維的法則。透過語言，人類可以學習運用理性，透過語言，人類可以分享理性，所以，語言可使我們打破主觀性，使「互爲主體性」（intersubjectivity）成爲可能，只有在此情形下，一個有良好溝通的社會才能存在。

了解語言的功能之後，讓我們來談書籍。

語言是藉由音波來傳遞，書籍則不然，它可以打破時空的限制。你説話時若對方不在場，就聽不到你所講的話，或如果你與對方不是同一時代的人，對方也聽不到你説的話，書籍就沒有這樣的限制，藉由書籍，可爲前人的言行做下紀錄，藉由書籍，可使今人與古聖今賢對話，讀書最大的樂趣也在這裏。像孔子曾説「吾久不夢見周公」、「尚友古人」……等，就是藉由讀書找到與古人對話的樂趣。

讀書最主要的意義並不在於一種單向資訊的攝取，讀書本身就是讀者與作者之間的對話關係，那是一種雙向溝通，也是一種創造的過程。孟子説：「盡信書，不如無書」。理由即在於此。讀書時，尚未了解真意前必須虛心學習，但在真正了解意義之後，就要能跳脫出來，凸顯身爲讀者的主體性，如此才能進行有效的雙向溝通，才能真正達到與古聖今賢對話的目的。所以說，從這個角度來看，讀書對個人而言，最重要的莫過於「人格的發展」。

這裏所提到的人格發展，絕非一般心理學上的意義，而是指精神層次的人格發展。一個會看書的人，懂的書愈多，愈能拓展自己的視野，他自己的存有絕不侷限在一個小地方，他的視野可能寬及世界，甚至整個宇宙；他的目光也不會只侷限在耳目所及之處，而是可能回溯到幾百年、幾千年以前，當這種習慣一旦養成之後，他就會發現自己活在人類的歷史中，而不受歷史的制約，自己也意識到參與了歷史的創造過程。

讀書可以有效地幫助我們，訓練我們思考、反省，使我們不斷地超越時空偶然加諸吾人身上的限制。一個人如果能將自己的閱讀拉得更爲廣博，他的思想與反省就愈加深刻，其精神、人格發展也會比別人更豐富、更深刻、更精緻，從而人生也顯得更有意義與價值。

㈣讀書的三個層次

就讀書本身來說，大概可以分爲三個層次。

第一是被動的層次。爲考試，爲學歷、學位而讀書，就是被動的讀書，這種讀書最痛苦。我們台灣，在圖書館裏讀書的人，年齡偏低，他們大多是爲了考試而讀書。但是在德國，八、九十歲還拄著拐杖到圖書館、閱覽室裏查資料、看書的大有人在，令我感觸良多。台灣不要說八、九十歲，就連三、五十歲，具有良好閱讀習慣的人已經是鳳毛麟角了。這種情況，我覺得很遺憾，我想這是因爲我們的教育出了問題，很多閱讀的興趣在學校期間就完全被折磨掉了。

在台灣，還有許多怪現象，像送還在唸幼稚園的小朋友去學英文，好像英文很難的樣子，如果這麼想學好英文，只要把小孩子丟到大家都講英文的地方去，半年就好了。像現在，我們的學生，從初中、高中、大學讀了十幾年，竟然還不會看英文書，這是不是怪現象呢？我在這裏講個小插曲，當初我的老師鼓勵我到德國留學的時候，我跟他抱怨說德文我又沒有修過，我的老師說：「沒有修，學就好了。」我後來想想也有道理，世界上最難的語言中文我都學得來了，那德文又有什麼困難呢？後來我一口氣苦讀九星期就把德文基礎打好了。

對台灣揠苗助長的教育方式我甚不贊同。我常常鼓勵人讀書要「不求甚解」。很多人讀英文報紙，常常因爲有生字沒查字典，就看不下去了，何必呢？其實你把整段文章瀏覽完，比你精讀兩行要來得有意義，等到你發現你常看到的生字，有字典在旁邊的時候，一查就記得了，平常千萬不要爲了查字典，抹煞了以外文攝取新知的樂趣。

就是要這樣透過更多的閱讀，更多的練習，不要精讀，要「不求甚解」，抓住粗枝大葉的基本意義，把全本書全瀏覽過一遍，比起你只精讀十來頁，後來因爲並不全懂、缺乏耐心而放棄來得有意義。至少你把整本書都翻完了，等到全部翻完後，如果覺得這本書還有意義，你再比較仔細地來讀，看不懂的先跳過去，看得懂或覺得有意思的地方再仔細讀或是把它畫下來，這樣你慢慢地就可以領略到「不求甚解」的方法和讀書的樂趣了。

台灣的教育存有「價值倒置」的現象，因爲被動式的讀書在我們接受教育的期間占了主導地位。我認爲國人無法養成良好的閱讀習慣，與我們的教育和考試的方式有很嚴重、很密切的關連。

第二個層次是實用的讀書。基於實用的目的，常因工作需要而讀書。在工商社會中繼續讀書的人，大多是基於這樣的目的。我認爲一個進步的現代社會裏，資訊的取得相當重要，而教育的主要目的之一就是要求大家能夠自己去蒐集資料、分析、綜合及研判，所以實用的讀書也很重要。

第三個層次是爲讀書而讀書，也就是基於興趣而讀書，爲了自己人格持續的開展而讀書。

人生在世，有時不求名而得名，不求利而得利。我常鼓勵大衆多看一些跟現實工作無關的書。人之所以可貴乃在於會做夢，禽獸則不會。做夢，在一定的程度上，可使人從現實的世界掙脫出來。夢，是一種構想力、創造力的解放。這種解放有賴於透過閱讀更多素材，與現實工作無關的書籍，才能增加突如其來的靈感而獲致豐碩的成果。

這種惟美的、純粹爲興趣的讀書，是台灣目前最需要的。也就是說，要做爲一個具有獨立思考能力的人，一個開朗、通情達理，且對新生事物時時保持興趣的知識份子，必須不斷地充實、不斷地讀書，而且是爲讀書而讀書。

在這裏要强調的是，知識份子並不意味是高學歷的人。因爲當教育制度有問題時，所培養出來的人學歷愈高，也可能問題愈大。

學歷的高低與學識的好壞並無必然的關係。只要有好的讀書計劃，人生漫長歲月中所能讀的書，絕對比一般大學教育中所讀的超過十倍以上。事實上，大學中所教導的多半是基礎知識，真的要深入，還是必須靠自己好好計畫，努力進修而讀書。

我在這裏引用一下孟子所講的「天爵」和「人爵」。學歷大概就相當於「人爵」，代表某種社會制度下，授予你的一種尊榮；至於「天爵」則是靠我們自己努力、自修得來的學識。當然，你有好的學歷，又能不斷地自修，我們相信你的學識將更加紮實。所以基本上，我個人的看法是，學識決定在自己，但看自己是否願意不斷追求新知；而學歷則需要外在條件配合得好才能取得。像我也是運氣配合得好，如果我晚生五年，東西德統一了，我們台灣的經濟也起飛，不再是第三世界國家了，在德國可能就沒有獎學金願意支持我唸完博士學位了。

因此，大家要試著培養讀書的興趣，活到老，學到老，人格即可不斷地開展。如果能不斷充實自己，內在自信的光輝相對可帶動品格、容貌、氣質各方面的提升，年紀愈大愈有魅力。

㈤如何培養閱讀的能力

大家不要認爲年紀大了就不能或不必讀書。唐宋八大家三蘇中的蘇老泉到二十七歲才立志向學，而馬克思五十幾歲才開始學俄文，所以學習與年齡是沒有關係的。

那我們要如何增强閱讀能力呢?我擬出四點建議，給大家參考。

第一，增强外文閱讀能力。

我覺得外文很重要。我自高中起就有一個偏見，原則上我不讀當代的中文著作。我認爲當代中文書如果有用，現代中國就不會那麼淒慘了。可見自鴉片戰爭以來，中國就沒有能人，尤其是當權者的書更不能讀，因爲他們的見解如果正確的話，中國早就强了。

外文對於新知的攝取是非常重要的，以學英文爲例，我在這裏要跟大家特別强調，如果你不會「聽」、不會「説」、不會「寫」，都沒關係，會「讀」就可以了，能用英文來吸收新知就可以了。像天主教會中的神父，可以用拉丁文來讀經文，也不見得會説聽、説、寫。當然如果你的英文聽説讀寫樣樣精通那是最好，如果不行，那至少要把英文當成閱讀的一種工具，要會讀，藉著閱讀英文來汲取新知。

同樣的，不少人看得懂文言文，卻不見得能用文言文來作文，但至少可以用文言文來看中國的古書。

除了英文，如果還行有餘力，不妨再選擇法文或德文來學，有什麼好處呢？可以平衡世界觀。日文不是不好，只是如果要平衡世界觀，選擇法文或德文，效果會比日文好。

如果你能通曉兩種以上的外來文來吸收新知，你就有資格成爲一個現代的世界公民。

其次，我想建議大家，本行以外，最好再增加兩門以上的專業。例如你的本行是企管，最好再去學學歷史學或心理學，這在台灣一點也不困難，可以參加空中補校，或者你不去拿學位，只是從頭到尾跟他學完。

因爲我們在離開學校以後，知識的攝取主要是靠一些專業雜誌，如果你除了本行之外，還能看兩種以上的專業雜誌，就能把你的視野拉得更加寬廣。我覺得這非常重要。像在德國，對這個要求就很嚴，如果你要攻讀哲學博士的話，必須在本行以外具備兩門以上的專業，稱爲 reale Wissenschaft，意思是跟實際生活有關的學問。例如經濟學就是 reale Wissenschaft，經濟學一定會涉及到實際的經濟現象，那你怎麼去研究、蒐集資料、研判分析，類似這種學問多兩種的話，你就不會太過飄浮，也比較能夠踏實。

第三，養成閱讀古文的習慣。

現在在台灣很糟糕，我發現很少人有讀古書的習慣。事實上，不了解古文，就不知道做中國人的榮耀。

舉個例子來說，我曾在北宋羅大經所著《鶴林玉露》上看到作者形容檳榔，寫得真是惟妙惟肖。作者以二十個字來描述，他說：「飽能使之饑，饑能使之飽，醒能使之醉，醉能使之醒。」如此貼切的形容出現在一千年前，卻能與我們現在日常生活中吃檳榔的習慣相互印證。從這裏，我們可以發現，現代人的智商未必比古人高，古人有古人高明的地方，就怕你不知道而已。

像我在說明社會安全制度的時候，就非常喜歡引用〈禮運大同篇〉中的「老有所終、壯有所用、幼有所長」，這個「老」、「壯」、「幼」，與德國現在的社會安全制度中，所謂的「跨代契約」（generationsuebergreifender Vertrag）完全一樣。德國的社會安全制度花了很多錢來照顧未成年人。比如，一位婦女懷孕了，不必申請，婦產科那邊都有紀錄，市政府馬上就把福利金匯到她的賬戶，在他們的制度中認爲，婦女懷孕，工作能力會減低，開銷卻會增加，而生育是在爲國家培養未來的納稅人，因此，婦女生兒育女的風險，國家有責任代爲分攤。現在德國婦女若因爲生小孩而將原有的工作辭掉，政府每個月會補助她六百馬克，相當台幣一萬元，補助時間持續兩年，而他們還在考慮將時間延長爲六年，也就是直到小孩入小學爲止。德國的這項福利，只是希望小孩能在自己父母的哺育之下，人格更健全地發展。

這樣比較下來，我們現在台灣的婦女實在是太可憐了。所以說，我們的社會安全制度也應該檢討。

其實在我們中國北魏時代，就有「生一男丁，國家贈地」的均田制度，讓每個人有工作好做，有田宅，才會有收入，當人民有收入時，政府才能向人民課稅，就是因爲這些制度，才造就了後來的隋唐盛世。

在德國也有「制產政策」（Vermoegensbildungspolitik），也就是說，政府有責任幫助老百姓制產，所謂有恆產才有恆心，有恆心後社會才能安定和諧。

從今天的角度來看，政府有責任幫助人民擁有自己的房子；此外，政府應有效地推行充分就業政策，讓每一個人能夠有一份適合他的才幹的職業。像這些在我們中國古書裏都有吔！

我們中國古代的社會安全制度，我認爲最重要的是「義倉」和「義學」。

我提過很多次，「教育」與「社會安全」是分不開的，但執政當局卻仍舊不了解，以爲教育歸教育，社會安全歸社會安全，其實很多先進國家都是把教育和社會安全放在一起的。

在台灣很多人强調政府預算應增加對殘障福利的支出，這種看法未必中肯，做好殘障福利的前提就是要先辦好特殊教育，應幫助這些殘障者也能學得一技之長才最重要，因爲殘障者不見得需要政府去救濟啊！他們也有生存的權利。有人老是以爲台灣的盲人只能幫人按摩或算命，啞吧只能參加竊盜集團，這都是太過偏差且不尊重人權的錯誤觀念！

在中國古代的「義學」，早已將社會安全的精神放進去了。所以說，只有真的去看古文，才能了解世界上這個優秀的民族，他們過去有哪些寶貴的經驗或犯了哪些嚴重的錯誤需要今天的我們去學習或改進。

其實，唯有扎根於傳統的創造才可大可久，這種創造才不是偶然的。真正的創造一定是基於對過去有深刻的了解、對現在有深刻的認識，這種創造才是有所本的。

世界歷史中，最菁華的部分在中國，中國的歷史從未斷過，是最完善的，所以說這裏面有很多一流的智慧，讀古文，最重要就是了解我們古聖先賢的智慧精華。我們說要讀外文，爲的是吸收當代新知，歷史知識方面，與其研究羅馬帝國衰亡史，何不來研究看看我們大唐帝國是怎麼垮掉的。而且你在這裏面，可以讀到很多東西的。所以說，做學問切勿好高騖遠，應隨時去取材身旁之物，古文也是最好的吸收知識的工具，同時也是最寶貴的。

第四，我鼓勵大家，你若要當一個通曉事理的現代人，我建議你至少要讀兩本經典著作。

經典著作很重要，學有所本就是靠經典著作。什麼叫做經典著作？如《春秋》、《易經》、《孟子》。如果要說現代的，像康德的《純粹理性批判》、達爾文的《物種原始》、馬克思的《資本論》等。

不過我從來不鼓勵大家去讀康德的著作，因爲那些書的中譯本翻譯得並不理想，看了也是白看，倒不如讀一讀王陽明的《傳習錄》，三卷而已，薄薄的一本，好好把它讀通，大概康德道德哲學的精華，都在其中。

讀書不要好高騖遠，其實如果你好好地讀陽明、讀孟子，就會獲益良多。爲什麼我要特別向大家推薦《孟子》和陽明？這是有道理的。

現代日本的催生者——吉田松陰，在日本被尊稱爲「明治維新之父」，伊藤博文、山縣有朋都是他的門生，而吉田松陰主要研究的經典，就是《孟子》和陽明。這是很有趣的現象，所以我並不鼓勵大家去讀艱深難懂的外國經典，不必讀多，好好讀一本、兩本，就是學有所本，可以終生受益。

什麼叫經典？經典就是要精讀、細讀的書籍，不懂也要把它硬吞下去，然後再慢慢咀嚼回味。經典就是當你好好讀完一本以後，你的理論水平會出現質的躍升。因此，好好的讀一本經典，比什麼都值得。

培養閱讀的能力，就講到這裏，最後，我想提醒大家的就是，材料的積累與智慧的增長無關，不要以爲看了很多書就可以博學了，沒有消化還是沒用。材料的積累還不等於智慧的增長，常常有人要我推薦一些好書，我的看法是「因材施教」，適合讀者的能力與興趣的書，方爲好書。不過基本上，我建議挑書時，最好是你對這本書大約「八成已懂，二成不懂」，這樣的書才是難度適中的書，也可逐漸培養你讀書的樂趣。

㈥結語

最後，我想引述朱熹的「讀書四大戒律」供大家參考。

第一，寧詳勿略。

讀書要融會貫通，徹底消化，不可一知半解。我前面提過的「不求甚解」是針對我們目前制式教育抹煞了大家對讀書的樂趣而講的，「不求甚解」最終的目的還是要融會貫通，也就是說一本書你能翻完，總比只翻前面幾頁來的好，所以大家不要誤解。

第二，寧下勿高。

寧願先從簡單的書下手，太高深的書對自己治學毫無助益。

第三，寧拙勿巧。

該參考其他書籍資料時，就應當多參考，也許讀起來比較慢，但是所得會更多。

第四，寧近勿遠。

不要捨近求遠，寧可從身邊的事物學起，才是最踏實的學問。

讀書本身就是在進德修業，就是一種「養心」的功夫，讓我們各方面能夠更踏實，人格發展更爲健全，國家也從而更能加快現代化的脚步。筆者之所以不厭其詳，反覆申論，鼓勵大家養成良好的閱讀習慣，其目的端在於要喚醒國人重建「文化主體意識」，共同爲「文化國」的理想來努力。

——《中國男人》一九九二年十一—十二月

超越俾斯麥

鐵血宰相俾斯麥一生的豐功偉業，在於建立統一的德國。由於他的努力，當時歐洲得以維持四十年的和平，他完成了當時最進步的社會立法，統一了幣制和法律制度，足爲後人典範。但他氣度狹小，疏於對文化藝術的關心，只重實利實務，使得德國只見秩序而失去活力，以致後繼無人，人亡政息。時下國人對政治認識尚淺，政治家風範仍未樹立，覽賞此文，對健全政局，當有裨益。

古今中外，我最推崇的政治家有兩位：一位是中國的唐太宗，另一位是德國的俾斯麥。他們才氣橫溢、謀慮深遠，在縱橫捭闔之間，結束國家長期分裂的狀態，並一手建立了垂之久遠的法政、財經制度，使得國威遠播，從而開創歷史未有之新局。當我們在唐太宗死後的一千三百多年再回頭來看唐律，其精密完備之程度仍令我們不得不嘆服。唐太宗的治國方略，史册多有記載，但其中最精要者，莫過於《貞觀政要》。

同樣的，對於俾斯麥這樣一位曾經支配著十九世紀下半葉歐洲局勢的政治巨人，其壯闊偉烈的一生，也必然是傳記家矚目的焦點。爲俾斯麥作傳的，有德國人，也有法國人、英國人、日本人……。其中當然不乏佳作，但要論及簡潔精要，則日本人鶴見祐輔氏所寫的《俾斯麥傳》，可算其中翹楚。

鶴見祐輔畢業於東京帝國大學，曾擔任過國會議員，是深諳外事的政治家，也是名聞日本、一度相當活躍的自由思想家。其著有《歐美名士印象》、《南洋遊記》、《偶像破壞期之中國》等，《俾斯麥傳》結合了他政治與文學兩方面的長才，書中雖充斥著富國強兵、強權政治等思想，但這是作者那個時代的通病，整體而言，瑕不掩瑜。鶴見氏的的確確將一個鮮活的俾斯麥帶到讀者的面前。本書雖是三〇年代的舊作，卻不失爲青年勵志書籍中的典範。有意從政的青年，不難從書中獲得啓示與鼓舞。

俾斯麥曾在帝國會議中譏諷批評他的政論家說：「政治不是學，而是術，就好比繪畫和雕刻並不是科學，優秀的評論家也不是偉大的藝術家！」我們國內對政治的認識猶嫌淺薄，政治家的風範也未曾建立；尤其過去根植在道德教化上的威權統治，被當權者刻意强調，以維持其政權之安定，政界中人乃陳陳相因，不以爲忤。而一般的政論家或學者，因爲沒有實際從政的經驗，也無法洞見其中的弔詭。

日本跟我們一樣是東方國家，在面臨西方的挑戰時，也曾遇到類似的問題；鶴見氏以一個日本人的觀點所呈現出來的俾斯麥，正可做爲我們進一步認知政治的教材；其生動而含帶感情的筆調，也讓我們真切濡沐到俾斯麥這位德國有史以來所僅見的政治家的風範和個性上的缺失。

陰謀家，也是和平守護神

俾斯麥的基本觀念是典型的保守主義者；在對外政策上，他基本上是一個均勢主義者；在處理問題的手法上，他卻又是不折不扣的現實主義者。因此，不了解俾斯麥的人會說他是充滿矛盾的，一般的評論家也很難從他種種施政作爲中探究其奧妙。

從他保守主義的觀點來看，他是站在資本家與天主教的立場，因此他極力主張擴充軍備，强力通過「治安維持法」，迫害社會黨人；但是，從另一方面來看，他卻又是全世界第一個推行國家社會主義建設的人，所謂國家社會主義（Staatssozialismus）乃指由上而下的社會主義，有別於由下而上的、以勞工運動爲主的社會主義。

因爲俾斯麥心中有數，知道工業逐漸興盛，勞工終將抬頭，與其等待勞工抗爭而處於被動的地位，不如主動從事社會立法。於是他先後制定了「健康保險法」（一八八三）、「傷害保險法」（一八八四）、「退休保險法」（一八八九），並首創由官方定期檢查工廠的制度，甚至公開支持帶有濃厚社會主義色彩的「生產合作社」（Produktionsgenossenschaften）。

我們再來看他處理問題的手法：在帝國建設初期，他在議會中是以「國民自由黨」（主要是資本家）爲同道，以「保守黨」和「中央黨」（主要是天主教徒）爲敵對。但是爲了貫徹他的政治主張，在制定「治安維持法」時，他討好保守黨，拉攏中央黨；其後爲了排除教皇對帝國的政治影響力，他又不惜與代表天主教徒的中央黨決裂；及至後來爲了爭取社會立法的通過，他必須再度拉攏中央黨，於是以緩和與教皇之間的對抗，來爭取中央黨的支持……。以上種種，在在顯示出俾斯麥在政治運作上是不折不扣的現實主義者。

在對外政策方面，我們更可以從俾斯麥身上，發現一位傑出的政治家是如何充分地掌握主動，並不斷地凸顯出他的主體性。俾斯麥很清楚，要統一德國，首先必得將奧國的勢力排出南德，並將法國在萊茵河的勢力逼出，因此他精心設計了普奧、普法兩場戰爭。

一八六五年，普奧兩國交惡，已瀕臨開戰邊緣，但是俾斯麥因見普魯士軍隊的整編尚未完成，乃强加隱忍。直到一八六六年，普軍整編終告完成，而奧國卻因爲武器換新而重行整編，俾斯麥見機不可失，乃在薩多瓦（Sadowa）一役擊潰奧軍主力。當時軍方主張乘勝追擊，直搗維也納，但是俾斯麥極力反對，並因而與軍方交惡。俾斯麥反對進軍維也納，主要是因爲他已預見到，普奧戰爭之後，必有普法之戰，若爲逞一時之快而給予奧國過大的屈辱，則將來普法開戰之時，奧法必然結盟共抗普軍，普軍勢將面臨兩面作戰的困境。因此，俾斯麥對戰敗的奧國，採取外交史上僅見的寬大措施：不割地、不賠款，只要求奧國退出南德，和約的條款由奧國自行制訂。

俾斯麥認定普法開戰，才是德意志帝國統一的決定性一役，因此他處心積慮要挑起普魯士和法國之間的戰事。到一八七〇年，機會終於來臨了。為了西班牙王位繼承問題，法皇拿破崙三世果然墜入俾斯麥精心設計的陷阱之中，對普宣戰。不到六星期，普軍在色當（Sedan）一役俘擄了拿破崙三世。俾斯麥仍主張對法國這個鄰邦寬大處理，莫給予法國太大的屈辱，以免普法結怨太深，成為無可化解的世仇。畢竟法國也曾產生過路易十四和拿破崙這樣不可一世的英雄人物，不可小覷其日後報復的能力。

可惜，這一次以毛奇為首的將官，不再聽從俾斯麥的反對，率軍直搗巴黎。俾斯麥見勢已至此，無可挽回，為避免法國燃起復仇火焰，對普不利，他已搶先一步，在外交布局上以孤立法國做為標的；往後他傾力與俄國締盟結好，即是出於這樣的考慮。

若是單從俾斯麥主動挑起普奧、普法戰事來看，他是一個嗜血的好戰分子，可是從他那種堅持有限戰爭的原則來看，卻又大大不然。其實，在外交上，他始終以

「忠實的經紀人」（Der ehrliche Makler）自居，歐洲火藥庫巴爾幹的危機，即由他出面化解，歐洲得以維持四十年的和平，他居功厥偉。

俾斯麥既是一個主動挑起戰爭的陰謀家，也是一個和平的守護神，其角色之變化，其謀略之轉折，又豈是一般人所能理解？不了解他的人，說他的所作所爲充滿矛盾，其實這一切都具體地證明了俾斯麥在政治上是一個典型的現實主義者。

德意志帝國在他死後二十年崩潰

其實，俾斯麥一生的豐功偉業，都圍繞著建立統一的德國，並維護這個他一手創建的新生帝國而開展。即使在他臨終前，他仍憂心地惦念著：「在我死後二十年，德意志帝國將崩潰！」果然，他死於一八九八年，而德意志帝國真的就在整整二十年後，土崩瓦解。

德意志帝國的興亡，夾雜著許多的無奈與感傷，俾斯麥雖能預見，卻也無法挽回頹勢。在他的晚年，與軍方摩擦加劇，又失寵於新繼任的威廉二世，以及他性格上的專斷獨行，氣度狹小，容不得有人與他比肩齊坐，在在限制了他的施爲和欲使國家可大可久的努力。

俾斯麥在盛年時期，之所以能夠爲所欲爲地發揮其治國長才，主要是因爲上有一位對他充分信任的明主德皇威廉。君臣之間，一爲賢君，一爲忠臣，兩者謹守君臣之義，老而彌篤，感人至深。僅從俾斯麥力促威廉老皇與俄皇締約一事，即可見一斑：

俾斯麥判斷當時的歐洲局勢，德國的西方有因普法戰爭而結怨的法國，東方有虎視眈眈的俄國，另有海上霸權英國；由於德國皇太子妃來自英國王室，老皇去世後太子登基，德英關係必然更形密切，加上德、奧、義締有盟約，德國早已是歐陸實質的霸權，一旦英德聯手，則東方的俄國畢竟寢食難安而不得不尋求盟友；此時此際，若再不拉攏俄國，而任令俄、法結盟，則德國勢將腹背受敵，險象環生。

俾斯麥爲使帝國基業永固，乃傾力促成俄皇來訪，希望在老皇過世前，能與俄國秘結軍事同盟。彼時老皇威廉已年邁不堪（八十九歲），行動遲緩，記憶力嚴重退化。俾斯麥要求老皇爲後代子孫，勉力而爲，乃遞了一張紙條給老皇，要他熟背，以便在會見俄皇之時，可以從容應對。

紙條上寫著：「德法一旦開戰，絕非單純兩國之事，而是意謂在歐洲大陸上，君主主義與民主主義的對決，若是德國不幸戰敗，則法國民主主義之妖風，必然橫越德國，吹進俄羅斯帝國。因此德俄二國實是唇齒相依，理應永結同好，共抗法國。」

老皇果然忠實地將這張紙條一字一句地熟背下來，連吃飯、就寢都喃喃念誦不已……如此君臣之義，足可永垂千古。

可悲的是，原本要繼位的皇太子因有痼疾在身，在老皇死後百日內也離開了人世。繼承大統的是年僅二十九歲的皇太孫，即後來的威廉二世皇帝。威廉二世自幼左手傷殘，卻能克服殘廢而與常人無異，這一艱難的過程養成他驕狂的個性，在宮廷中被小人包圍，喜聽諂媚之詞，又無良師指導，以致未能學得做爲國家元首所應具備的慎獨功夫，不懂得如何親賢臣、遠小人，不懂得如何聽進逆耳忠言，亦不知帝國開創之艱辛。俾斯麥在新君的面前日漸失寵，鬱鬱而終。而德意志帝國也一如他所預言的，在他死後二十年土崩瓦解。

雄才大略卻專斷獨行

鶴見氏對俾斯麥的評語是：「鬥爭之困難，不在進攻，而在退卻。政治家之困難，不在鬥爭，而在協調。俾斯麥不只是個單純的鬥士，他是一位知進亦知退的政治家。」畢竟，撇開俾氏歷史上的功過不談，他的的確確是一位天才横溢、謀慮深遠的政治家。他口述德意志帝國憲法給其機要記錄，洋洋灑灑七十八條條文，一共只花了五個半小時。這部憲法是他十年構思的成果，雖然五個半小時即口述完成，卻支配了德意志帝國的體制和生活長達半個世紀之久。此外，他完成了當時最進步的社會立法，統一了幣制和法律制度，制定了刑法典、商法典和足爲後人典範的德國民法典。

然而，俾斯麥畢竟也是個人，有做爲人的限制和缺點。他氣度狹小，對同僚極爲苛刻；他本身是德意志的棟樑，卻未能在他主政期間有計劃地培養新的棟樑。在他有生之年，德國固然是歐洲的强權，但是由於缺乏培植人才的計劃，以致落得人亡政息之譏。

在我認爲，俾斯麥最大的缺點在於他對文化藝術了無興趣，對知識分子不知敬重，長年過著與德意志的文化和知識階層隔離的生活。這對他本人和他支配的德意志國民來說，都是大不幸。我們知道，文化藝術是一個國家創造力和活力的根源，一個文化藝術發達的國家，其國民和後代子孫必具有旺盛、進取的生命力；反之，一個不重視文化藝術，只知埋首於實利實務的國家，其國民必將因缺乏想像力而導致智慧低落、感官退化，終將與世界上進步的思想絕緣。

俾斯麥是一位傑出的政治家，但是他人才培育計劃的闕如，使得他身後的德意志面臨了朝野無人的困局；他對文化藝術的疏忽，使得整個德意志民族的個性消沈，只見秩序，不見開闊的活力。一個失去自由個性與奔放活力的民族，自然給予希特勒這種集體主義者以可乘之機。

羅素曾說：「超過康德有好哲學，略過康德只有壞哲學。」爲什麼？因爲近代哲學經驗主義和理性主義的爭論，在康德哲學中已經很天才地做了相當努力而成功的調和，如果捨此研究成果，忽略前人經驗，直接自行處理兩大學派間的問題，毋寧又是從頭做起。而事實證明，這幾乎都是虛度光陰。同樣的，我也要說：「超越俾斯麥，可成爲傑出的政治家，略過俾斯麥，則只是不入流的政客。」在此，我謹向有意從政的青年建言，讓我們共同來了解俾斯麥、批判俾斯麥、進而超越俾斯麥！

——《火與劍的一生—鐵血宰相俾斯麥傳》中譯本序

鶴見祐輔（日）著，一九九〇年五月

《從歷史看領導》讀後感

自清末以來，由於對傳統的全面否定，造成文化傳承出現嚴重的斷層危機，以致今日一提到傳統就令人聯想到「落伍」、「封建」、「反動」，而一味地向外國學習。殊不知中國傳統有其寶貴的智慧遺產，對外國亦有重大的影響，反而後代子孫未能多方深入地討論及詮釋，以因應時代的需求，殊為可歎！許倬雲教授所作《從歷史看領導》（一九九〇年）出版之後，朱高正應光華雜誌社之請，寫下此篇評論性的抒感文字。

何必「術」失而求諸野？

韓非子曾說：「釋法術而心治，堯不能正一國；去規矩而妄意度，奚仲不能成一輪；廢尺寸而差短長，王爾不能半中。使中主守法術，拙匠守規矩尺寸，則萬不失矣。」

所謂「中主」就是指「上不及堯舜，下不爲桀紂」的國君，只要懂得運用「法術」，就不會發生領袖神話的事，中國古代早就想到這個問題。一般而言，雖然時代背景有差異，但人性不變；科技水平雖有變化，管理、組織等技術層面也有所不同，但領導統御的基本原理則初無二致。

我們看看坊間有關管理的書，大多是將日本的管理書籍翻譯過來，但是細看之後，馬上會發現日本式管理多取材自中國古書。因爲古人著作不屬於智慧財產權的保護範圍，所以經過日本人研究，我們再向日本買版權，翻成中文，這是何等諷刺的怪現象。

事實上我國古代有不少記載，足以作爲企業管理的借鑑與楷模。《戰國策》、《說苑》、《貞觀政要》、《資治通鑑》與《增廣智囊補》裏就有很多取之不盡、用之不竭的素材。舉個例子來說，有一天魏文侯在宮中聽到樂隊演奏，就說：「左高」，一旁的客卿田子方就笑了說：「當國君的人，不必懂得音樂，只要選擇適當的人來擔任樂官即可。」（臣聞之君明樂官，不明樂音。今君審於音，臣恐其聾於官也。）

這則故事指出，一般人常有對自己熟悉的事物意見特別多的毛病。譬如業務部經理被調升爲總經理之後，但仍然對業務部門的意見特別多，這位總經理就犯了和魏文侯一樣的錯誤；換句話說，他是以總經理的職位做業務經理的事，非常危險。因爲公司裏還有財務、人事、研究開發、行銷等部門，總經理應該更宏觀、面面俱到，他的責任是挑選適當的人選出任各部門主管，否則總經理就只是虛懸罷了。

一國之君也是如此，聽到樂隊演奏就批評「左邊音調太高」，其實，他只要任命一名好樂官，就可以帶好樂隊。現在有很多人就犯了這個毛病，懂得的事就過問，不懂的事就隨他去。

不要否定自己的歷史

我想强調，中國古代有很多值得我們學習的古書，問題就在於今人不懂歷史，而且這個現象還非常嚴重。我們不但不懂歷史，甚至還否定自己的歷史。自一九〇五年廢除科舉以來，受過傳統教育的人，缺乏新觀念；接受新式教育的人，受五四運動「打倒孔家店」的影響，從而全面否定傳統，造成知識界嚴重的斷層危機。如今我們有必要重新認識自己的歷史，因爲如果不了解自己的「過去」，不僅無法爲「現在」定位，也無法爲「未來」定向。任何創造如果和「過去」斷裂，這種創造只是偶然的；只有意識到和「過去」有深刻的淵源，這種創造才有所本。

在中國現代化過程中，「教會學校」一直扮演著主導性的角色，這也表示我們不知不覺受時代大環境的左右。從反對及否定歷史傳統開始；久而久之，變成情緒上的排斥及瞧不起歷史傳統，到最後演變成不想了解，而對自己的歷史傳統懵然無知。陳陳相因，終至形成「反中國」、「反傳統」的情結。一談到傳統就是落伍的同義詞；一談到中國就是封建、反動的代名詞。

這一代中國人對古書很陌生，事實上傳統裏有很多獨到之處，甚至西方都很難望其項背。中國幅員廣大，歷史綿亙不絕，在財務及人事管理上絕對有一套獨特的制度。中國的文官制度就被全世界稱頌，英國的文官制度還是十七世紀從新加坡間接從中國學得，德國最驕傲的文官制度則是再向英國學來的。

追溯中國式管理的文化淵源

中國式管理先是向外輸出而最近又見回流，凸顯出民族自信心的危機。「外國的月亮比較圓」的心理，造成自己本來有好東西而不會用，必得經過日本式包裝後才認爲是好東西。日本人幫我們消化傳統寶藏，再以昂貴價格向我們推銷，身爲中國人，爲什麼不直接在觀念上稍做調整?此外，可能和我們國學教育太過偏窄也有關。過去的國學教育偏重在詩詞歌賦與修身養性方面，而忽略了經世濟民的層面。

像顧炎武、王夫之等人皆以明代遺民自居，因喪國之痛，想盡辦法以知識份子身分去探討爲什麼會國破家亡。不斷反省，足跡踏遍中國，寫出來的東西真是字字血淚。中國淪於夷狄之手，不是一般亡國之痛，而是傳統文化的淪喪，即所謂「亡天下」。所以平定「妖教」太平天國的人，會出現在湖南，不是沒有理由的。曾國藩深受其同鄉前輩王夫之的影響，是公認的史實。「一部中國現代史，如果少了湖南，真不知從何寫起?」（左舜生語）後來的張之洞、楊度、黃興、曾琦等都是湖南人。

我們對中國歷史的了解很膚淺。我國重要的制度大多奠基於周朝，平王東遷代表周天子式微。春秋五霸時，天子勢力已轉移到諸侯，五霸代替周天子主持並維護封建體制。春秋進入戰國又是個大轉變，周威烈王正式承認三家分晉，韓趙魏三家封侯，田氏篡齊，甚而齊梁互王（齊威王與梁惠王，互相稱呼對方爲「王」），與先前只有世居荊蠻一帶的楚侯自稱爲「王」的情況相比，至此周天子威信已蕩然無存。秦滅六國，仍是貴族政治。而和劉邦一起出來打天下的則都是平民百姓，有屠狗的、開車的、幹過小偷的，甚至是囚犯，這表示歷史又進入另一個階段。

今人無知，非古人落後

漢朝的國憲由賈誼、董仲舒二人所擘建。漢朝最了不起的地方就是採用選舉辟召制度，各郡人口每滿二十萬人，一年要推薦一名郎官到中央任職，由「累世經學」到「累世公卿」，「士族」就這樣崛起，漢朝就是靠讀書人來穩定江山。這也是中國文明之處，以知識、德行舉才，比我們現在的選舉高明太多。

最近我又重讀一次《鹽鐵論》，這是漢昭帝始元六年（漢武帝死後第六年）舉行的一次財經政策大辯論，由當年在京畿附近推選出來的六十幾名「文學」和當權的御史大夫桑弘羊辯論了五個多月，水準比我們現在的立法院高太多了。所以今人是不懂古人，以爲他們比我們落後，其實是我們無知！

許倬雲教授新著《從歷史看領導》基本上是一個研討會的講評記錄，他嘗試從客觀角度、用淺顯易懂的文字，爲現代對中國歷史文化並不嫻熟的企業領袖介紹古代領導思想。如果從歷史學專業的角度來批評，並不適宜，這本書根本無法反映出許教授在史學方面的專業素養。但是如果從在台灣的中國人開始用自己角度向企業界闡述傳統歷史經驗，卻是一個值得肯定的嘗試。尤其許教授刻意挑選荀子與韓非子師徒兩人，來爲中國式管理提出一個理論架構，非常恰當。

對傳統優良文化重新詮釋

儒法兩家就學術淵源來說是一體的，中國儒墨道法四家，最早號稱顯學的是儒墨。儒家是右派、墨家是左派；儒家强調的是禮、講名分、重自修；墨家的基本立場則是勞動、流民階級，主張非禮、非攻（國際主義）、節葬（平等主義）和天志。墨家主張頗似「社會主義」，對現實極端不滿；儒家講的則是務實面，希望循序漸進改革現實，再建「王政」。

到了戰國劇變，從儒家衍生出法家，「名分」講得過分的結果，反而忽略了爲什麼要講「禮」；墨家則激化成道家，由不滿現實變成徹底否定現象，而主張回歸自然。道家黃老思想與墨家一樣，都不太適合拿來治國，所以主導中國現實政治的主流是儒法兩家。

我是專門研究法律哲學與國家哲學的，要探討國家的起源問題，從純理的角度來看，其實離不開荀子所謂「定分止爭」的範疇。我要强調的是，荀子思想比被尊為現代政治學開山祖師的馬基亞維利或霍布斯强太多了，只不過我們後代子孫不肖，未能重新予以詮釋，以因應東西接觸之後的新環境罷了，令人相當遺憾。

——《光華雜誌》一九九〇年十月

不是達爾文的錯

——《大滅絕》讀後

中央研究院院士許靖華博士所撰述的《大滅絕》一書，乃爲近年來科普著作中的精品，値得大力推薦。但其中反對「優勝劣敗」，主張「幸者生存」的部分，就思想性質而言，已不屬於科學領域，而屬價値哲學的範疇，故已非「實然」，而是「應然」的問題。科學技術的進步雖可增進吾人對「實然」的了解，卻不見得能增進吾人對「應然」的認知。科學家面對「應然」的問題，應懂得謙卑與自制。

「天下文化」最近出版由華裔著名地質學家，也是我國中央研究院院士許靖華博士所撰述的科普名著《大滅絕》的中譯本。原著於一九八六年以英文發表，中譯本則由大陸地質學家任克（筆名）翻譯。作者博學多識，廣泛地引用最近一、二十年來在地質學、地磁地層學、地球化學、古溫計、深海鑽探技術、中子活化技術與碳同位素梯度等各專業領域的最新研究成果，並以偵探小說的寫作技巧，來重構恐龍何以在白堊紀要進入第三紀前突然消失。《大滅絕》爲科際整合提供了一個範例，也是值得大力推薦的科普作品。

質疑「適者生存」之說

作者雖然從十九歲以後即離開中國，長期居留在美國與瑞士兩地，從事研究及教學工作，但他對祖國的關心令人敬佩，作者不僅對中國現代史耿耿於懷，即儒道兩家的思想也深深地影響他的人生觀與宇宙觀。作者在書中一再地質疑達爾文「物競天擇」、「適者生存」的學說，而主張「共生演化」、「幸者生存」。作者並將現代中國的不幸歸諸嚴復翻譯赫胥黎《天演論》於先，梁啓超爲文鼓吹於後。作者認爲國民黨與共產黨都深受達爾文主義的影響，肇致中國的動盪不安。這種判斷與見解是否允當，容稍後再論，以一個地質學家而能有此人文關懷，亦已值得國內自然科學界的工作者引爲楷模。

《大滅絕》這本書主要是在處理地質學上的一個熱門話題：化石地層介於「白堊紀」（中生代最後一紀）與「第三紀」（新生代第一紀）之間有厚達一公分幾乎不含任何化石的「界線黏土」。按照達爾文演化論的學說，這層「界線黏土」似乎標示出地質紀錄的「間斷」。因爲在白堊紀生命力最旺盛的恐龍、菊石、箭石、有孔蟲、厚殼蛤以及白堊紀鷹屬植物羣，在界線黏土以上的地層中，就不曾再發現它們的化石。易言之，要不是地質紀錄出現「間斷」，這些中生代的動植物豈非突然消失，但是演化論卻無法解釋這種生物突然大量滅絕的現象。

作者先介紹地質學家如何運用地層疊置律，建立「地質年代表」，並用C—14同位素測年法確定界線黏土距今約六千五百萬年。其次引述磁性倒轉原理，確認界線黏土屬於「C—29—R」（即「新生代磁性地層第二十九反向期」），並利用「海底擴張速度恆常」與「大洋底正負磁性條帶相間」的理論，推出「C—29—R」距今六千五百萬年，且該磁性反向期長達四十七萬年的結論。從而否定達爾文「地質紀錄間斷」的說法，並證明六千五百萬年前，海水無碳同位素梯度，即表層海水並無

C−13富集現象，證明當時海水浮游生物大量滅絕，海水PH值呈酸性反應，且以箭石標本爲古溫計測出當時海水溫度突然上升5°C，造成地球的災難性事變，導致中生代生物高達七五％大量滅絕。

恐龍被慧星殺害

接著作者運用「化學元素豐度表」與「中子活化分析法」對界線黏土進行定性分析。「化學元素豐度表」可以區分地表岩石經過凝化作用後，其各種化學元素的含量與地外隕星大不相同。而「中子活化技術」則可以有效分析濃度只有10^{-11}的痕量元素。結果發現界線黏土有極爲明顯的銥異常現象，這爲恐龍滅絕的原因是來自外太空提供了鐵的證據。

最後作者模擬出六千五百萬年前有一顆直徑長逾十公里的哈雷級彗星，以每秒四十公里的速度撞擊地球，導致大規模核爆災難，製造大量氮氧化合物(NO_x)，嚴重破壞臭氧層，而NO_x也是落葉劑，使得樹木因無法進行光合作用而導致森林死亡。冷卻後，又有大量酸雨注入河川、海洋，終致白堊紀末期（即Masstricht期）動植物突然大量滅絕。

作者通篇採用偵探小說的寫作技巧，爲證明恐龍不是「自然死亡」而是遭外太空的巨大彗星所「殺害」，帶領讀者，抽絲剝繭，直指元兇，論證嚴謹，其科學辦案的精神，令人拍案叫絕，真不愧是優良的科普著作。

資本主義與社會主義都引用達爾文學說

美中不足的是作者對達爾文的指責顯然有失公允。達爾文花了五年的時間遠赴南美洲和太平洋蒐集標本，返英後，潛心研究二十多年，才出版《物種原始》，藉著敏銳的觀察及比較解剖學之助，提出「共祖」理論、建立生物系譜學，從而主張「物競天擇」、「適者生存」，對生物學貢獻厥偉。至於遠在美國的史賓塞（Herbert Spencer）硬要將達爾文的生物學說延引到社會學、哲學領域，因而發展出殘酷無情的「社會達爾文主義」，反對以任何社會安全政策來保障弱者的生存權與工作權，認爲這將妨害社會演化的自然進程……，則萬不該歸咎於達爾文。這只說明史賓塞濫用達爾文生物演化的學說，來爲當時美國的資產階級當鼓手罷了，資本主義的意識型態本來就主張應讓經濟上的强者能更加淋漓盡致的自由發揮，而無視於社會正義與社會和諧的正當要求。

豈止資產階級要利用達爾文的學說，「『科學的』社會主義」同樣也不能免俗。恩格斯就公開宣稱：「達爾文發現了生物演化的規律，馬克思則發現了人類歷史發展的法則。」其實，達爾文本人在一八六九年十二月二十六日寫信給澳大利亞探險家卡爾・馮・薛爾翰（Karl von Scherzer）就埋怨道：「多荒唐啊！在德國竟然有人要將物競天擇的演化論和社會主義結合在一起！」當馬克思要出版《資本論》英譯本的時候，原本要題獻給達爾文，但卻遭到婉拒，只因達爾文不希望他的學說被聯想成在攻擊教會。

無論是代表資本主義的史賓塞，或是代表社會主義的馬克思，立場南轅北轍的雙方爭相引用達爾文學說，正顯示達爾文在生物學上的非凡成就，且其影響力已不再侷限於生物學界。豈可反將有心人士，希望披上科學的外衣，來推銷個人偏見的過錯，歸咎於達爾文？

其次，許靖華博士對嚴復、康有爲、梁啓超等人譯介、鼓吹天演論的指責，筆者也甚難苟同。嚴復是馬尾船政學堂第一批送往英國皇家海軍學院深造的菁英。康梁則是戊戌變法的靈魂人物，尤其是梁啓超更是終其一生扮演現代中國思想啓蒙者的角色。幫助國人開展國際視野、掌握世界思潮，本來就是嚴、梁等人的責任，怎可獨漏達爾文、赫胥黎等人震古鑠今的名作呢？何況當時西方列强正挾其船堅砲利，在社會達爾文主義「優勝劣敗」的思想武裝下，已向中國沿海港埠頻頻叩關。不譯介達爾文學說難道就可倖免於列强的蠶食鯨吞嗎？還是當知己知彼、奮勵圖强，才能早日掙脫出歷史的厄運？

此外，作者將國、共鬥爭溯源於達爾文學說的解釋，尤其不妥。現代中國的革命與動亂，自有潛藏於內的歷史因素以及當代外在的國際背景。將之歸責於達爾文學說，未免過分膨脹了達爾文對現代中國的影響。其實，日本也大量譯介了達爾文學說，其結果，在日本並未發生類似中國的內亂。作者在這方面對達爾文的指責，顯然是欲加之罪，何患無辭。

科學工作者應懂得謙卑

其實，筆者認爲，擁護達爾文的人，披著科學的外衣來促銷人類社會「優勝劣敗」的觀點，本身就是不科學的。同理，反對達爾文的人，披著科學的外衣來反對人類社會「優勝劣敗」，也是一樣不科學的。作者反對「優勝劣敗」，反對「適者生存」，主張「幸者生存」。其實這種問題的討論已不屬於科學的、而是屬於價值哲學的範疇。這已不再屬於「實然」（Sein），而是屬於「應然」（Sollen）的問題。面對這個界線，自然科學家應懂得謙卑與自制。

如果作者所主張的「幸者生存」是科學的真理，那麼儒家思想所要求的「克己復禮」、「進德修業」或「强勉」（以克服「人」自然的惰性）就變成多餘，一切只要聽天由命就夠了。反之，如果真的是「適者生存」、「優勝劣敗」，那任何道德概念都無法成立。是非、對錯只取決於實力，而且是赤裸裸的實力。這種「强權即公理」（Might is right）的主張，柏拉圖早在二千多年前就成功地反駁過了。

中國人一向奉行「盡人事，聽天命」的人生觀，正是調和了「適者生存」與「幸者生存」這兩種極端的想法。中國文化也談「强」，但不是壓在別人頭上的「强」，而是「自勝者强」，一種反省性的强，無待於外的强，除了自修、自勝以外，才有待天命的安排。科學、技術的發達與進步，固然可以增加吾人對「物」、對「實然」的了解，卻不見得能增加吾人對「人」（做爲一個具有「理性」的存有）、對「應然」的認知。一個傑出地質學家對人生終極意義的探究，不見得比柏拉圖或亞里斯多德透徹；一個生物學諾貝爾獎得主對人性尊嚴的體認，也不見得能超越孔子或孟子，我們不要迷信披上科學外衣的偏見。地球的存在，可能是隨機的；人類的存在，可能是偶然的。但這絕不影響「人」做爲一個「理性者」存在所應有的價值與尊嚴，面對這個「價值」與「尊嚴」，所有的科學工作者要懂得謙卑，否則，就是褻瀆神聖。

以上筆者雖然針對《大滅絕》作者的某些見解有所批評，但是畢竟瑕不掩瑜，作者的博學予人深刻的印象，不畏權威、且勇於向權威挑戰的精神，令人佩服，這不愧是一本頗堪玩味、並值得爭議的科普著作。

——《聯合報》一九九二年七月十一日

正視謀略

一般受過正統教育的人，尤其是假道學，多不屑於談論「謀略」。這正好反應制式教育不重視「方法論」的缺失，也嚴重影響國家現代化的進程。朱高正以孔門弟子的身份，論述「謀略」乃小自修身齊家、大至治國平天下所不可或缺的工具。全文立論引證宏偉、邏輯結構嚴謹，頗值玩味。

「謀略」這個概念本身即蘊涵著一定程度的弔詭性。正如孫子所言：「兵者，詭道也。」英國著名的戰略學者李達·哈特（B. H. Liddell Hart）從廣泛的戰史研究中也歸納出：古往今來，克敵致勝的一方皆與「間接路線」的運用有關。

「謀略」的弔詭性

所謂謀略的弔詭性，就是指乍看之下為不合理，實則合理。謀略的精義在於揚棄動物本能性的直覺反應，是經過深思熟慮，審慎評估客觀情勢、我方實力，並充分掌握對方心理狀態之後，才擬定的行動策略，所謂「謀定而後動」。因此，有時候要「能而示之不能」、「近而示之遠」，以達到欺敵的效果。李達·哈特所强調的「間接路線」就是指比直線思考更高一層的謀略作為而言，透過間接路線的運用往往可達到奇襲的效果，進而充分掌握戰場的主控權。

謀略，是立身行世的藝術，更是建功立業的利器。就立身行世而言，謀略可以改善人際關係，可將很多不必要的衝突化解於無形；就建功立業而言，有思考、有計畫、有步驟、有方向的謀略可獲致四兩撥千斤的宏效。直線思考模式或本能性的直覺反應對現實困境的解決無益，謀略的適當運用則往往能更有效達成預設的目標。因此，孫子主張：「上兵伐謀，其次伐交，其次伐兵，其下攻城。」光憑孟賁氣力之勇，暴虎憑河，反易敗事。人之所以異於禽獸，氣力不及禽獸而可役使禽獸，乃因人有「理性」。能運用理性，設謀定策，依計行事，自是較成熟的表現。所謂「多算勝，少算不勝」，而況於「不算」乎？

「謀略」是立身行世的藝術

茲先以立身行世爲例。筆者長子膚色較爲黝黑，次子則較爲晰白。某日於登山途中，長子仰丘問：「爸爸，聽說弟弟出生時，爸爸用牛奶給弟弟洗澡，是不是真的？」這是一個相當尷尬的問題，涉及孩子的自尊，當時，筆者腦筋一轉，即答道：「是啊，弟弟出生時，爸爸是有用牛奶跟弟弟洗過澡。」這時仰丘顯得有點悵然，筆者緊接著說道：「但是，你不要忘記，你出生時，爸爸也有用咖啡跟你洗過澡啊！」仰丘這時兩眼一亮，露出可掬的笑容。

其次，以建功立業爲例。在一個專制獨裁的國家，反對人士常常犯了太過直率、據理力爭的毛病。政治不能光講「理」，還需要有「力」。當權者容或理虧，但卻握有實力，面對反對人士的挑戰，當然不願退讓，因爲退讓只會鼓勵對手得寸進尺，而造成「一步退，步步退」的結果。在「退此一步，即無死所」的危機意識下，當權者自然會運用現有的資源打擊對手，以確保權位。筆者從事政治改革一向秉持「衝兩步，退一步」的原則與國民黨當局週旋。亦即先挑選足以引起普遍共鳴的重要議題（如「國會全面改選」、「教科文預算違憲」），充分積蓄能量之後，「衝兩步」奮力一擊，在國民黨搖搖欲墜之際，主動退讓一步，頓住，確保戰果，並醞釀發動下一波攻勢的實力。就國民黨而言，在慘敗之際卻能因對手的退讓而得到喘息的機會，自能以「少輸爲贏」的心態，接納改革。日後甚至體認到假使能事先主動改革，非但可免遭對手的攻擊，又能得到改革的美名，何樂不爲？

筆者曾倡言：「政治是高明的騙術」，引起不少的誤解。其實，「騙」在古代乃扁馬之術，並無太多貶意，何況筆者刻意强調要騙得「高明」，這就是要經由精心設計的謀略，以最少的犧牲，獲致最大的效果，豈是不學無「術」之徒所能理解！

「謀略」自科舉制度後，遭知識階級排斥

談到「謀略」，一般人就想到克勞塞維茨的《戰爭論》或李達·哈特的《戰略

論》，其實這兩部軍事經典所討論的只是狹義的軍事戰略。反觀《孫子兵法》並不侷限於戰略，而擴展至政略。他如《老子》、《韓非子》、《戰國策》、《說苑》、《增廣智囊補》等，其適用範圍大至逐鹿中原、小至處理人際關係，自修身、齊家、以至治國、平天下，無所不包。可見我國傳統文化中，有關謀略的研究可謂源遠流長，絕非泰西諸國所能望其項背。只可惜，自董仲舒以降，獨尊儒術，先秦的兵家、法家、縱橫家、陰陽家、雜家等等，均漸漸與新興的士族階級絕緣。尤其自隋唐開科取士以來，士子不是沈緬於詩詞歌賦，就是陷入宋明理學所刻意凸顯的「尊德性」與「道問學」的「泛道德主義」的泥淖中。傳道授業由於採用過分化約的二分法，窮義利之辨，極善惡之分，殊不知「現實世界」與「觀念世界」截然不同。人固然需要觀念世界的指引，但卻不能脫離現實世界，人只能使現實世界逐步接近觀念世界所揭櫫的理想而已。偏執的泛道德主義只會使人更加憤世嫉俗，造成過分強調目標與理想的正當性，從而忽略了手段與過程的重要性。無怪乎自古文人相輕，因爲空談理想，當然難有交集。

「謀略」的工具性格

儘管如此，所幸中國歷史悠久，幅員廣大，經驗傳承既久，後人可繼受前人的著述，稍補「謀略」在正統教育中長期被忽略的弊端。何況在歷史上，仍有不少有心人，諸如顧炎武、曾國藩，致力於經世濟民之學，强調通經致用，以史爲鑑。其實，「謀略」並不探討目的，而是研究如何達成目標的方法論，亦即 know how 的問題。用英文來解釋，「謀略」屬於 prudence（聰慧機智）的範疇，而非 wisdom（智慧、無私的直觀）。謀略之所以易於遭到批評、甚至蔑視，無非是謀略常常被奸人宵小作爲逞其私慾的工具。然而替天行道者不也同樣可以運用謀略來作爲實踐正義的工具嗎？正如一把刀，爲善爲惡端視持刀者的意念而定，刀本身並無善惡可言。我們不會因爲有好訟者濫用法律知識而禁絕法學教育，也不會因爲秦始皇、隋煬帝濫興土木工程而廢棄土木工程技術。因此，有愛心而正直的人毋寧更需要「謀略」，才能使善意得到善果。譬如諸葛亮滿腹韜略，自「隆中對」初定三分天下，及其治理蜀國，雖說「儒表法裏」，但無損於爲一代良相。同樣，一代英王唐太宗爲秦王時，置天策府、文學館，招賢納士，網羅各路豪傑爲其效命，終有

「貞觀之治」。

在多元化的現代社會，適當地運用謀略，對達成目標有很大的助益。無論是親子、夫妻感情的培養與增進，公司企業的經營與管理，或是國家機器的運作與國際關係的改善，在在都離不開「謀略」。在汲取前人的經驗與智慧方面，我們無需捨近求遠，在我國浩瀚的古藉中就有取之不盡、用之不竭的高明謀略，只要重新詮釋、賦與新義，便能在現代社會中運用裕如。

——台灣版《謀略叢書》序，一九九三年二月

黨化教育終結者

——《台灣高等教育白皮書》短評

《台灣高等教育白皮書》係由「大學教育改革促進會」所編纂，其中對制式的「黨化教育」多所批評。朱高正應《中國時報》開卷版之邀，撰述這篇書評。由此短文可以窺見朱高正雖爲在野的政治人士，卻能不受泛政治化觀點的影響，擁有獨具一套的高等教育觀。

一九八七年六月，「大學法修正案」以委員提案的方式，正式列入立法院議程。自此，高等教育改革成爲大學校園的熱門話題。

最近由時報出版公司所發行的《台灣高等教育白皮書》，並不是政府出版品，而是一羣熱心高教改革者的集體創作。它是第一本針對長期爲人詬病的「黨化教育」所做的較有系統的批判性著作，也是大學改革經驗階段性的總結。

黨化教育非惟一因素

對於關心高等教育的人士，本書提供了一個導論性的途徑，爲讀者引介大學改革的爭議焦點。本書將當今高教問題概括地歸咎於「黨化教育」，從而忽略了其他——諸如政治、歷史、經濟、社會等——因素在形塑出今天大學文化的重要性，固然有欠周延。但是讀者若能把持著「攻乎異端，乃得乎中」的心態閱讀本書，則《高教白皮書》在搗毀舊的「黨化教育」圖騰，開創新的大學自主空間，自有其劃時代的意義。

由於本書的編寫在國內係屬首創，各界均寄予厚望。在此筆者謹提兩點意見，藉供參考。

民主並非改革的萬靈丹

首先，大學教育乃學校教育的一環，《白皮書》若能針對整個教育體系——尤其是國民教育與職業教育——先做合理的評估，再輔以比較學制以及高等教育發展史，當能對高等教育做出更切實可行的改革建議。

其次，「民主化」，並非改革高等教育的萬靈丹。高等教育的成敗，與政治民主與否，似無必然關係。譬如一八一〇年才設立的柏林大學，在普魯士軍國主義統治之下，其學術成就，傲視全球，諾貝爾獎得主輩出，即是著例。可見成功的高等教育顯然需要其他因素的配合。因此，筆者期待《白皮書》今後能以更專業的角色、更寬廣的視角，來爲台灣的高教問題把脈。

——《中國時報開卷版》一九九三年四月三十日

千古一帝秦始皇

——重新解讀「焚書阬儒」

史學家向來對秦始皇的功過多有爭論，但鮮有質疑秦始皇焚書阬儒是百惡不赦的大罪。在一個國際學術會議的場合，有外國學者嚴辭批評秦始皇，以秦始皇代表中國文化，發表蠛視中國文化的謬論，經朱高正即席反駁，贏得與會代表一致的讚賞。返台之後，朱高正即著手撰寫〈千古一帝秦始皇〉，這是一篇專爲秦始皇焚書阬儒翻案的著作。本文結構嚴謹，舉證詳實，充分顯示出朱高正對中國歷史的識見，足讓秦漢史專家刮目相看。

漢儒賈誼在其著名的政論文章《過秦論》中以「廢王道，立私權，禁文書而酷刑法」非難秦始皇，並認爲秦的滅亡主因在於「不施仁義」。賈誼對秦始皇的嚴厲指責本爲了使漢廷知所鑒戒，並抒發自己的政治理想。然而，自司馬遷以來，後人多因循賈誼的觀點，甚至直指秦始皇爲「暴君」，一提到秦始皇就讓人聯想到「焚書阬儒」。其實，秦始皇坑的未必是儒生，而焚書的原因也鮮有人知。

焚書主張非秦始皇所創

一般人常以「焚書」爲秦始皇控制思想、摧毀學術的罪證。然而揆諸史實，「焚書」的主張並非秦始皇所創，而是早在西元前三百六十二年秦孝公銳意革新，重用商鞅，爲了富國强兵，就有力主農戰、「燔詩書而明法令」（見《韓非子》）的政策，秦始皇只不過賡續這個一貫的立國精神罷了。秦始皇之所以能於短短十年之內（即西元前二百三十年至二百二十一年）併滅六國，亦係此農戰政策的成功。

一統天下後，秦始皇廢除封建制度，實行郡縣制度，此即賈誼所指責的「廢王道，立私權」。這是亙古未有的政治制度的大變革，這不僅招致守舊人士的反對，更導致六國遺族推波助瀾、加入批評的行列。但是秦始皇認爲：「天下共苦、戰鬥不休，以有侯王。賴宗廟、天下初定，又復立國，是樹兵也。而求其寧息，豈不難哉？」（見司馬遷《史記・秦始皇本紀》）可見秦始皇廢封建、行郡縣的用意在於弭兵，以求天下永久的和平與統一。事實上，郡縣制度也消融了貴族與平民的階級對立，爲「平民政府」與「賢人政治」的建立奠定了基礎。因此，漢武帝時董仲舒提議「復古更化」，乃設置五經博士，獨尊儒術，卻仍信守「非劉氏不王」的郡縣制度，並未因「復古更化」而恢復封建制度。王夫之在《讀通鑑論》中即給予郡縣制度高度的評價：「郡縣之制，垂二千年而弗能改矣，合古今上下皆安之……郡縣之法，已在秦先。秦之所滅者六國耳，非盡滅三代之所封也。則分之爲郡，分之爲縣，俾才可長民者皆居民上以盡其才，而治民之紀，并何爲而非天下之公乎？」

然而在始皇三十四年，亦即統一天下已經八年了，僕射周青臣與博士淳于越卻仍然在辯論封建得失。淳于越認爲「事不師古而能長久者，非所聞也。」主張復行封建，「封子弟功臣，自爲枝輔」，始皇提交廷議討論。

李斯建議焚書以絕私學

丞相李斯面對著守舊派一再延引封建時代的言論，以古非今，惡意攻訐郡縣制度，遂主張「焚書」，禁絕「私學」，使法令得以定於一尊。李斯認爲：「今諸生不師今而學古，以非當世，惑亂黔首……語皆道古以害今，飾虛言以亂實，人善其私學，以非上之所建立，今皇帝并有天下，別黑白而定一尊，私學而相與非法教。人聞令下，則各以其學議之，入則心非，出則巷議，夸主以爲名，異取以爲高……如此弗禁，則主勢降乎上，黨與成乎下。」（見〈秦始皇本紀〉）

其實，「王官之學」本爲中國上古時代的學術傳統。天子設立各級學校，擔負教育任務。至春秋時代，由於周天子式微，王官之學沒落，漸次流入民間，致百家爭鳴，道術分裂。天下既然統一，秦始皇不僅統一了貨幣與度量衡，也統一了文字，所謂「書同文，車同軌」，當然也須要恢復「王官之學」。「焚書」就這樣在秦國農戰政策傳統，重建「王官之學」與貫徹「廢封建、行郡縣」的政策需求下產生的。「焚書」並非焚毀一切書籍，只是不准民間藏書（醫藥、卜筮、種樹等實用性書籍則除外），由國家統理圖書的典藏與教育權，以回復「王官之學」的傳統。李斯所奏「史官非秦紀，皆燒之。非博士官所職，天下敢有藏詩書百家語者，悉詣守尉雜燒之」以及「若欲有學法令，以吏爲師」即爲佐證（具見〈秦始皇本紀〉）。南宋一代大儒朱熹也認爲：「古人以竹簡寫書，民間不能盡有，惟官司有之。如秦焚書，也只是教天下焚之，他朝廷依舊留得。如說：『非秦紀及博士所掌者，盡焚之。』到六經之類，他依舊留得，但天下人無有」（見《朱子語類》卷第一百三十八）。可惜的是，項羽進入咸陽城之後，火燒阿房宮，使保存於阿房宮的珍貴典籍盡付一炬。若言「焚書」的真正罪魁禍首，實爲項羽。

創設廷議怎當暴君之名

況且，「焚書」主要係針對六國史記，因其涉及現實政治，又對秦國多所譏諷（諸如充斥「嫚秦」、「暴秦」、「禿狼秦」、「無道秦」等辱罵性字眼）。其次爲詩書，因其每每爲守舊派要求「師古」、「復古」的立論依據，有違改革與統一的時代潮流。其實孟子也曾說「盡信書，不如無書」，這裡所指的「書」就是指書經。易言之，孟子認爲書經所載未可盡信。此外，古希臘大哲學家柏拉圖在其名著《理想國》中也提及禁絕詩歌、音樂的主張。至於「百家語」則非其所重，私家藏書尚多。章炳麟即謂：「自始皇三十四年焚書訖於張楚之興，首尾五年，記誦未衰。」

再者，即使「焚書」有錯，由秦始皇一人負責亦有欠公允。焚書係經丞相李斯的提議及廷議的討論所作出的決策。所謂「廷議」，係指國家重大決策，非由帝王個人專斷，而是召集大臣互相討論以作出決議。真正的專制帝王不可能設置廷議來限制自己的權力。創設「廷議」制度的秦始皇怎可能是獨夫暴君？

除「焚書」外，同爲世人所非議的「阬儒」，其實並非坑殺儒生，而係針對「處士橫議」而來。戰國時代兵家、縱橫家、陰陽家與雜家風行一時。以蘇秦爲例，憑著三寸不爛之舌得以掛六國相印，是多少人夢寐以求的。秦始皇統一天下之後，這些足智多謀，雄辯滔滔的食客與謀士頓失舞臺，不甘蟄伏，不時危言聳聽，煽動六國遺族造反。秦始皇所下令坑殺的正是這些披著方士外衣的陰謀家，並非儒生。章炳麟於《國故論衡》中說：「太史公儒林列傳曰：秦之季世，坑術士；而世謂之阬儒。」即使秦始皇所坑殺的確是儒生，如此嚴厲指責亦有失公允。明太祖朱元璋於胡惟庸案中即誅殺三萬多名士大夫，於藍玉案中又誅殺了一萬五千多人；東漢黨錮之禍被誅殺者亦較始皇所坑殺的四百六十餘人爲多。

醜化秦政以烘托漢朝政權的正當性

至於秦始皇的「焚書阬儒」之所以遭受如此嚴厲的非難與扭曲，當從漢帝國的

「正當性」談起。漢高祖劉邦是中國歷史上第一位平民出身的皇帝；其父稱「太公」，無名；其母則稱「劉媼」，意即「劉姓老婦人」，連原姓氏都查考不出來，可見出身的卑微。這種身世背景，犯了中國歷史傳統上的大忌。從三代以降至秦始皇，每個朝代的開創者均擁有淵遠流長的家族史，務必積德數代，方能承接大統。漢帝國爲了鞏固這個根基薄弱的政權，遂極力醜化秦始皇，以其暴虐無道烘托出自己取得天下的正當性。這種手法，實與馬丁路德爲與天主教教會鬥爭，遂將教會掌權的中世紀（西元六世紀到十五世紀）概稱爲「黑暗時代」，如出一轍。

或許有人認爲，若非秦始皇暴虐無道，則秦朝國祚怎可能如此短暫？其實，秦始皇若非天縱英明，怎能在短短十年內併滅六國，結束五百年的亂局，一統天下？西漢劉向所編纂的《説苑》有一則非常值得注意的記載：始皇一統天下後曾表示「吾德出于五帝，吾將官天下」，要效法堯舜，將帝位禪讓給賢者。然而，其臣鮑白令之卻公然在朝廷上發言，謂始皇「行桀紂之道，欲爲五帝之禪，非陛下所能行也。」始皇聞之大怒，責問令之「何以言我行桀紂之道（也），趣説之，不解則死。」鮑白令之就以始皇「築台干雲，宮殿五里」，不愛惜民力，只爲自己享樂，怎能上比五帝，來回應。鮑白令之的勇於諫諍不但未招致殺身之禍，反使始皇面有慚色，因而不再廷議禪讓問題。由此可見，秦始皇甚至是一位通情達理而肯接納評言的君主。

秦政失敗絕非歸因「焚書阬儒」

秦政失敗的主因，當係役使民力過甚，絕非「焚書阬儒」，亦非「廢王道，立私權」。舉凡築長城、闢馳道、戍守邊疆與築阿房宮、建驪山陵……等，皆爲苦役。此外，始皇於短短十年內併滅六國，又徹底改變三代以來天子爲天下共主的傳統，改行郡縣制度，固然開創了一個前所未有的局面，卻也因此面臨許多艱鉅的挑戰。令人惋惜的是，秦始皇於一統天下後十二年即去世，未能完全消化與解決新帝國的諸多問題。在長子扶蘇被假遺詔賜死，擁有託孤責任的將軍蒙恬被羅織入獄並遇害的情形下，胡亥即位，趙高把權，在帝國政府未能有效統治之下，陳勝、吳廣一發難，六國遺民紛紛起兵呼應，終致滅亡。

自秦始皇兵馬俑被發掘以來，史學家不得不重新評價秦始皇。預估約有二萬二千多尊陶俑中，已拼合出二千餘尊。每一尊陶俑的身材、表情、姿勢與裝備均各有特色，也反映出秦代高度的陶藝捏塑水平，更顯示出秦始皇對藝術的重視。若與法王路易十四世興建的凡爾賽宮中矗立的三百多尊仿希臘石膏塑像相比，早其一千九百年之久的秦陶俑實爲中華民族後代子孫無比的驕傲。

明儒李贄讚爲「千古一帝」

在對傳統歷史文化賦予創造性的詮釋之際，我們必須批判地重新瞭解歷史傳統，才能爲未來更進一步的發展，紮下更堅實的基礎。像秦始皇這樣的歷史人物，衆口鑠金，光憑「焚書阬儒」這種片面的情緒性指責，是不足來論斷其畢生的功過與是非的。秦始皇的政治措施，無非在於建構並維持一個統一的中國，使其成爲書同文、車同軌、行同倫的社會。史學家夏曾佑即認爲，「中國之教，得孔子而後立；中國之政，得秦始皇而後行；中國之境，得漢武帝而後定。此中國之所以爲中國也。」惟因秦始皇，中華民族才得以沐浴於同一文化之下，中國文化才得以發揚光大。明儒李贄稱讚始皇爲「千古一帝」，實爲高見。唯有重新解讀「焚書阬儒」才能真正瞭解秦始皇的歷史地位。這樣的「傳統」才是鮮活的，才能像湧泉般不斷給我們新的視野與啓發，以成爲推動更進一步現代化的動力。

——《聯合晚報》一九九三年十二月三十一日

變的再生

——《周易陰陽八卦說解》台灣版序

朱高正自高二學易，未曾中斷。中學時代即組成「易興復華會」，以「振興易學，再造中華」自許。他對提倡易學，向來不遺餘力。里仁書局出版的《周易陰陽八卦說解》被朱高正推薦爲最佳的現代易學入門書。本文乃朱高正在省長競選期間，仍抽空爲該書的台灣版所寫的序文。

《易經》是一部可以開啓智慧法門的奇書，更是中國文化的活水源頭。

相傳上古時代伏羲作八卦，逮周文王乃將八卦相重，演成六十四卦，並作卦辭。文王子周公作爻辭，至孔子乃作十翼。《周易》的哲學思想體系就這樣歷經漫長的歲月，由卜筮中誕生、成長而脫胎換骨。歷來儒家莫不奉《周易》爲羣經之首，道家亦將其與《老》、《莊》並稱「三玄」。

易注既多且繁

兩千多年來，爲《易》作注者，逾四千家。然而，誠如《四庫全書》所云：「易道廣大，無所不包。旁及天文、地理、樂律、兵法、韻學、算術，以逮方外之爐火，皆可援易以爲說；而好異者又援以入易，故易說愈繁。」

由於易注既多且繁，衆品雜陳，初學者往往無所適從。傳統上，學易大多從朱熹所著《周易本義》入門，但是古書本不易讀，何況《易經》兼有義理與象數之學，對現代人而言，常有望《周易本義》而興歎之憾。

高正自高二以來，自學鑽研《周易》，但始終似懂非懂，無法參透其中精蘊，直至三年前（即一九九一年），在一個偶然的機會，得以閱讀徐志銳先生的大作《周易大傳新注》，茅塞頓開，才開始瞭解《周易》博大精深的思想體系，因而與志銳先生結下不解之緣。

《易》爲最大思維範疇系統

爲驗証自己的讀易心得，高正利用去（一九九三）年暑假期間，親自教導兩位仍在小學就讀的兒子學習六十四卦的卦畫、卦象與卦義，使其在短短兩星期內即了然於心，至此方知易爲「簡易」之理。一般人之所以認爲《易經》深奧艱澀，實因不得其門而入。至於六十四卦則透過爻變與錯綜方式，充分展現「變易」，實乃中國（甚至是人類）最大的思維範疇系統。雖然「變動不居，周流六虛，上下无常，剛柔相易，不可爲典要，唯變所適」。然而天道循環，陰陽相易，生生不息，「變易」本身即涵蘊了「不易」之理。

三年來，高正與志銳先生常以書信往返，交換學易心得。去年底前往東北考察時，更專程趨赴「吉林省社會科學院」拜訪志銳先生，並獲其同意，將其近作《周易陰陽八卦説解》在台灣以正體字發行。回台之後，又獲得里仁出版社發行人徐秀榮先生慨然應允出版，使台灣讀者有幸分享志銳先生的研究成果。

最好入門書

其實，《周易陰陽八卦說解》乃志銳先生積數十年研究《周易》的心血結晶，更是有心學易者最好的入門書。期望藉著這本書的出版，使更多人能進入易學的殿堂。讀者諸君若能讀完本書後，再研讀《周易大傳新注》，當能對《周易》有一全面而正確的瞭解。高正希望藉著本書在台發行，能培養更多的易學後進，爲傳統文化的延續與發揚略盡棉薄之力。

——一九九四年十一月

「執中守正」抑或「趨時知幾」

——讀李總統談《易經》有感

《易經》乃羣經之首，爲歷代中國知識菁英必讀的一部典籍。然而清末以來，西學成爲主流。《易經》這部總結了中國人智慧與經驗的寶典，現代的知識份子卻泰半毫無所悉，實令識者痛心！精研西方哲理，然而卻以弘揚傳統優秀文化爲己任的朱高正，對李登輝晚近提倡《易經》，深表肯定。但對於李氏學易只重「權謀」，而忽略「守正執中」的態度，有所指正。

日前李登輝總統在行政院第二期國建班的結訓典禮上，向與會學員們大談《易經》，一時之間，台北政壇似乎燃起一股《易經》熱。本來大家以爲李總統只懂得《聖經》而已，今天竟然談起《易經》，還真令人有一新耳目之感。

事實上，中國自古以來，皇帝提倡易學，本身讀易、說易，甚而著易，比比皆是。如東漢光武帝及明、章二帝，祖孫三代都非常重視經學教育，曾多次駕幸太學，與博士、公卿講解《周易》經義。南朝梁武帝蕭衍有易著數種。清朝康熙皇帝提倡易學，更是不遺餘力，今天最通行的《易經》集注版本——《周易折中》，便是康熙命令大學士李光地編纂而成。

《易經》乃中華文化之活水源頭

自古來，《周易》乃羣經之首，爲我中華文化之活水源頭。相傳遠古時代，伏羲氏仰觀俯察而作八卦，其後八卦兩兩相重而爲六十四卦。至文王、周公父子作卦辭六十四條、爻辭三百八十四條、「用九」和「用六」兩條，合計四百五十條，此即《周易》之經文，共四千九百餘字。孔子晚年喜讀《周易》，至於「韋編三絕」，足見其用力之勤。孔子整理古籍，删詩書，訂禮樂，唯獨對《周易》經文未敢增删一字。

孔子與其門生更作「十翼」，注解經文，以揭露《周易》所蘊涵之哲理。自此，《周易》漸漸由卜筮之書轉化爲探討宇宙人生的典籍。所以《周易》「人更四聖，世歷三古」，乃總結上古中國社會經驗與智慧的寶典。《周易》不但是儒家的經典，道家也將其與《老子》、《莊子》合稱「三玄」。中國古籍中，同爲儒、道兩家奉爲經典者，非《周易》莫屬！

自漢武帝建元五年設置五經博士，楊何出任首位「易博士」，到清光緒三十一年廢除科舉爲止，在這二千零四十年之間，爲《周易》注疏的就超過四千家。學者皓首窮「易」，可說歷兩千年而不衰。如果我們將「讀書」視爲與古聖今賢對話的知性創造活動，那麼《周易》不愧爲歷代知識菁英對話的焦點與論壇。如此經典，即使在歐洲被視爲各類學問源頭的亞里斯多德著作，也很難望其項背。舉凡中國的讀書人皆不可不讀《易經》！

然而，令人痛心疾首的是，在台灣多數人把傳統文化視爲「落後」、「不合時宜」的風氣下，《易經》早已乏人問津，不受知識份子重視。所以在台灣洋博士比比皆是，其中會留心傳統古籍的，卻是鳳毛麟角，更遑論對易學的闡揚了。

據報載，參加國建班的官員們，對於李總統所談論的《易經》，都覺得很精彩，至於內容則多表示無法理解。連內閣向以「博士內閣」標榜自豪，而其高級官員卻對《易經》這傳統寶典一無所知，實乃一大諷刺。

其實，筆者認爲傳統文化非但不必然是現代化的障礙，更可以成爲推動現代化的助力。《周易》實爲傳統文化之大根大本，欲重建中華民族之自信自尊，欲有效迎接國家現代化之挑戰，必先從《周易》的現代化著手。讓一般人有機會接觸《周易》，讓《周易》與現代生活發生聯繫，這也是筆者費盡苦心在主持「乾坤大挪移」節目中，用卦來解析新聞事件、用占筮來提供心理諮商的目的所在。

「守正」、「執中」才是易理的核心

李總統這一年來研習《周易》，並將其心得與大家分享，真是用心良苦。尤其難能可貴的是，他是接受現代教育、留洋學農的知識份子，深受日本教育的影響，且過去從來不看中國的古書。現在李總統也能重視《易經》，而且向國建班的官員們大力推薦，相信這對大家重新評估中國傳統文化的價值大有助益。然而，綜觀李總統談論的內容，多爲側重《周易》在領導統御與制定決策中的作用。其實，在《周易》思想體系中，「守正」、「執中」才是理論的核心部份。《周易》向來强調當位得正、居中得吉的道理。老總統原名蔣志清，後來改名爲「介石」、「中正」，這都是出自《易經》第十六卦——即豫卦（☳☷）。它的六二爻爻辭說：「介于石，不終日，貞吉。」而〈小象〉解釋說：「不終日，貞吉。以中正也。」其意是守正執中，其介如石，堅定而不可移易。

至於李總統反覆强調「知幾」、「趨時」，皆爲權謀之道，僅具實用價值，不似「守正」、「執中」蘊含崇高的倫理價值。提倡易學本是一件好事，但如果將《易經》界定爲只是講求謀略的典籍，這就不妥了。更何況李總統以一國元首之尊，竟以從中學得權謀而沾沾自喜，尤屬不當。自古以來，「民無信不立」。治國之道，當以誠信爲重。孔子也說：「政者正也，子帥以正，孰敢不正？」自李總統掌權七年以來，國政日益紛亂，李總統今天若能深研易理，而以守正執中自勉，則國家幸甚，人民幸甚！

《布拉格的春天》影評

——無聊、單調、輕淡，生命中的莫可如何

一九八九年捷克裔法籍作家米蘭·昆德拉的小說《存有之不可承受的輕淡》拍成電影《布拉格的春天》。朱高正從存在主義的角度發表這篇短評，獲得影藝界的好評。

《布拉格的春天》是一部難得的高水準文藝作品，可惜一般的影評皆只著眼於劇中複雜的性關係，讚美其對床戲柔和唯美的處理手法，而無法掌握這部作品所思傳達的意象與存在其中的一種生命情調。

本片在劇情處理上與《飛越杜鵑窩》頗有異曲同工之妙。《飛》劇中處處突發奇想的墨菲牢牢地吸引住觀衆，而舖陳其後的卻是一個印弟安酋長如何在成長中回復自信的心路歷程。《布拉格的春天》，則透過對性愛細膩的描繪與蘇俄入侵捷克而引致的政治衝擊，烘托出生命的無聊、單調與輕淡。如果由慣常的「文以載道」的方式切入，以追索本片的「意義」便徒勞往返了。

片名《存有之不可承受的輕淡》（The Unbearable Lightness of Being），已透露出厭煩「理想」、質疑「意義」的存在哲學意味，本片原著的作者米蘭・昆德拉（Milan Kundera）原籍捷克，一九七五年移居法國，當時的巴黎沙特哲學正如日中天，作者是很難避開而不受其影響的。

存在哲學所散發的生命情調正是幾許單調，幾許荒涼，唯一的真實只寄寓在每一瞬間的現實存在當中。布拉格一片便透過交錯的人物經緯與時空織成的事件素材，一再反覆地呈現人存有的無聊與輕淡。全片以湯瑪斯、莎比娜及德瑞莎等三人爲主。莎比娜是最了解湯瑪斯的女人，而德瑞莎則是他的妻子。劇中的湯瑪斯一角總是隨境而易，善變、輕佻、隨便，仰賴堅持與原則的「自制」正是他最不需要的，他慣常的口頭語就是「Take off」，在醫院如此，在臥室如此，在擦玻璃的勞役中也不忘作樂，即使論政，「伊底帕斯」的嘲諷也掩蓋了嚴肅，日內瓦的流亡依然抵擋不了玩世不恭。而莎比娜呢？同樣的放蕩不羈，同樣的不屑，但是她真情流露，珍視友誼，她是三個人中首先率性離布拉格他去的，她也同樣自然地向所謂的「流亡志士」表達了不屑一顧的輕蔑，雖然爲法蘭茲的愛而熱淚盈眶，卻又頭也不回的離去，是一個現代有主見的女性，堪稱俠骨柔情。

相對的，德瑞莎則是一個象徵傳統的角色，重視家庭關係，有一定的道德觀和一定程度的使命感，攝影使她進入了一個新天地開始認識真實的社會，面對俄軍的槍口她可以毫不顫慄，卻自苦自虐於丈夫的不忠，在布拉格由於政治的禁忌而受到束縛的作品，到了資本主義的世界卻因爲新聞時效性的喪失依然無法發表，拍攝商業性的裸體照片使得她酷愛的攝影變成荒謬的行徑，她的沮喪便發生在不同的情境所存在的同樣的不自由。爲了懲罰丈夫的不忠，她畏怯的嘗試自我放逐，而這段勉强的外遇竟只是另一場騙局與詭計的舞台，自此她深切地嘗試了生命的荒謬與無聊，這甚至令她想放棄生命，不過最後湯瑪斯帶著她返回自然的鄉間，作了另一種對現實的否定與逃避。

《布拉格》一片就是透過不同角色在同一生命途程上的異樣感受，由這些角色所經歷的挫折與希望來映現出生命的莫可如何，在處理抽象的意念與表達哲學的感受上確實是一部佳作。

——《中國時報》一九八九年四月十日

評朱著《康德的人權與基本民權學說》

評論者：卡瓦拉（Georg Cavallar）（奧地利、維也納）

本文係針對朱高正於一九九〇年由德國哥尼斯豪森及諾伊曼出版社所發行的著作《康德的人權與基本民權學說》所作的書評。原載於全球最具權威之哲學專業雜誌《康德研究季刊》（一九九二年第二季）。作者為奧地利學者卡瓦拉（Georg Cavallar）。本書評原以德文發表，由朱高正譯為中文，並經其業師黃振華教授逐句審斟定稿後，刊載於一九九三年第二季出版的《哲學雜誌》（台北發行）。

朱高正以一亞洲學者的身份，其著作能如此為世界最權威的哲學刊物正面評論，殊屬難得。整篇評論所述，對該書極盡推崇，且將之與當代三位康德法權哲學巨擘之著作，並列為研究康德法權哲學之必備作品。國人知悉朱高正的學術造詣在國際上所得到的肯定與嘉許，當與有榮焉。

朱高正（著者）：《康德的人權與基本民權學說》，一百九十五頁。知識論，威茲堡學術哲學系列，第八十冊，一百九十五頁。哥尼斯豪森及諾伊曼出版社，德國威茲堡，一九九〇（註一）。

註一：本篇書評係在維也納促進學術研究基金會所資助的研究計劃下完成。

誠如第一章〈導論〉（頁九—二〇）所揭示，朱高正以其於一九八五年向波昂大學所提博士論文，加入當前康德法權哲學批判性格的討論行列。除相關論證外，作者特別駁斥文化相對主義，渠等主張人權受制於歷史條件，認爲人權乃是十八世紀政治啓蒙運動的產物。天賦的權利（ius connatum）該當被詮釋爲一種先天的理性概念，康德人權清單的有效性則應「不可動搖地予以捍衛」（頁十六）。朱高正撇開文化相對主義問題，以令人信服的論證指出，康德將天賦人權立證於「人性理念」（homo noumenon）之中（頁十七）。作者在其有關康德人權學說的研究中，對——康德在其問世著作中僅提及九次，而從未精確定義過的——「人權」術語做了一番廣泛而深入的創造性研究，過去惟獨耶賓豪斯（Julius Ebbinghaus）在一九六二年曾對此一課題發表過一篇論文。

第二章（頁二一—三五）係針對康德法權哲學，亦即「自由之外部運用的形上學」（法權哲學，導論A；參照頁三一），做一般性介紹。與道德律一樣，嚴格意義的法權理念，也具有先驗特徵。然而與道德律不同的是，嚴格意義的法權理念具有强制力、外在性與否定性，因爲法權理念與內心立意無關，並且也排除目的設定（頁三四）。

第三章（頁三六—九一）充分運用「康德人權學說的原始資料」，特別是手寫遺稿與授課筆記。從而各式各樣的定理之發展，變得一目了然。朱高正尤其專注於烏爾比安（Ulpian）的準則（即「勿傷他人」，「各得其所應有」與「做正直的人」），內在法律義務的概念，以及法權與倫理的分際。作者認爲，這三個課題羣是「詮釋康德人權思想之鑰」（頁三七）。瑞特（Christian Ritter）有關康德早期法權哲學的劃時代著作遭作者批評，謂其僅侷促於處理到一七七五年的資料，人本身即是目的的學說出現於八〇年代，至於自我强制的學說則要到九〇年代才成形（頁三八）。在曼徹（Menzer）所編的倫理學講義中，康德將烏爾比安的三個準則視爲「道德公理」，尚未承認內在法律義務（頁五十—五一）。對自己的義務固然被凸顯有其重要性，但卻都毫無例外地被界定爲倫理義務。在費爾阿本（Feyerabend）所抄寫的自然法授課筆記（一七八四），康德首次提及對自己的義務，並區分「人性的權利」與「人的權利」（頁四一—六一）。

維吉蘭提烏斯（Vigilantius）筆記（一七九三—一七九四）將內在法律義務，即「在我們自身人格中之人性的權利」，批判地建立在人之雙重性格命題中。在我們自身人格中之人性（homo noumenon）是爲有約束力者，而在現象界中的人（homo phaenomenon）則爲受約束者，存在於這兩者間的强制關係，作者稱之爲「超驗的」（頁六一—七八；參照頁九二—九三）。「人性的權利」的特色在於其係非交互，而「只」是片面的强制（頁七一）。由是，康德法權哲學的「理論漏洞」因自我强制，以及與此相關連的內在法律義務兩概念之引進，而得以彌補（頁六二）。在〈九〇年代道德形上學先期論著〉一節中，作者終於釐清權利概念與斷言令式間之關係（頁七八—九一），並將「人性的權利」劃歸道德哲學，即廣義的實踐哲學（頁八三—八四）。

第四章〈康德的人權學說〉是本書的核心部份（頁九二—一三一）。朱高正藉著區分「人性的權利」與「人的權利」來建立康德的人權學說。Menschheit（人性）這個術語，如作者駁斥耶賓豪斯所述，並非指經驗的集體（人類），而是指「理想的人格，……是純理而且超感性的」（頁九九）。「人性的權利」是「人的權利」之基礎，而後者是指人與人之間的法權關係。藉助於散頁的E十九，朱高正重構《道德形上學》一書中康德對「法權哲學的分類」：康德之批判自然法必得以「人性的權利」爲其基礎與最高原理，因爲縱令是私法權與公法權也要「透過將對別人的法律義務納入對自己的法律義務之中」，而導出（頁一〇七）。

天賦的權利與「人性的權利」並非疊合，前者乃是「人性的權利」之外部運用，而隸屬於內在權利（參照頁一一〇—一一二）。做爲外在權利，天賦的權利與他人有關，而與自己無關（頁一一四）。天賦的人權又是「一切取得的權利之必要前提」（頁一三〇），所以也是「康德法權哲學的基石」（頁一八〇）。天賦的人權固然「能」經由法律行爲具體化爲取得的權利，但前者卻獨立於後者。

康德對人權的立論表現在其前兩大鉅著：《純粹理性批判》，因爲康德從區分人的經驗性格與睿智性格出發；《實踐理性批判》，因爲做爲目的本身之人的尊嚴學說亦構成批判法權哲學的基礎（頁一一五—一一八；參照頁一七九）。康德對人權的貢獻不在於「發明」這些人權或另列一份新的清單，而在於對人權的系統化，亦即對人權提出無懈可擊而完整的立論（參照頁一二〇—一二一）。

第五章〈建立公共正義，以基本民權保障人權〉（頁一三二—一七七）亦如同第二章一般，以通論方式介紹康德國家法學。朱高正論證人權既是公法權（頁一三三），也是「純粹共和」的指導原則（頁一四九）。人權到底如何由國家且在國家中予以保障？作者特別集中在兩個論題：一爲康德對「走出自然狀態」這個公設的論證；一爲康德的共和主義。康德對民主政治的嚴厲批評在歷史上遭到「錯置」：康德不贊成古雅典的直接民主，那時「行政權涵蓋立法、司法兩權，乃取決於在市場聚集公民的偶然多數」（頁一四五）。

在論述「基本民權乃是强制性公法所保護的人權」（頁一五〇—一六五）時，朱高正遭遇到一個衆所周知的老問題，此即公民「獨立自主」——乃「經濟上免於他人的恣意」（頁一五二）——可否賦予「先天原理」地位的問題。作者固然先爲康德與耶賓豪斯辯護（頁一五八），並嘗試以「法目的論」重構康德的論證（頁一六一—一六二），但隨即申論，要求公民在經濟上必須獨立自主，和法權上的自由與平等互不相容（頁一六三—一六四）。

對康德法權哲學長期遭到忽略的領域，朱高正以其研究做出了一項開創性的成果。其論證令人信服，而從康德的先期論著與授課筆記中，取材允當，尤見高明。作者對康德法權哲學批判性格的探討，貢獻甚鉅。對這個領域的專家而言，本書與克爾斯汀（Kersting）、荷弗（Hoeffe）以及慕候蘭（Mulholland）等人的著作，同屬必備。

——《哲學雜誌》一九九三年四月

教育改革

國民體育的目標在鍛鍊全民的體格

——我爲什麼反對設立體育部

一九八九年初，是否增設體育部一案再度成爲立法院的焦點話題。朱高正爲文指出：體育之目的在鍛鍊國民强健的體魄，並培養其運動精神。無論就五育之均衡發展、維持文化自主發展或施政優先順序來看，體育部的增設實非必要。

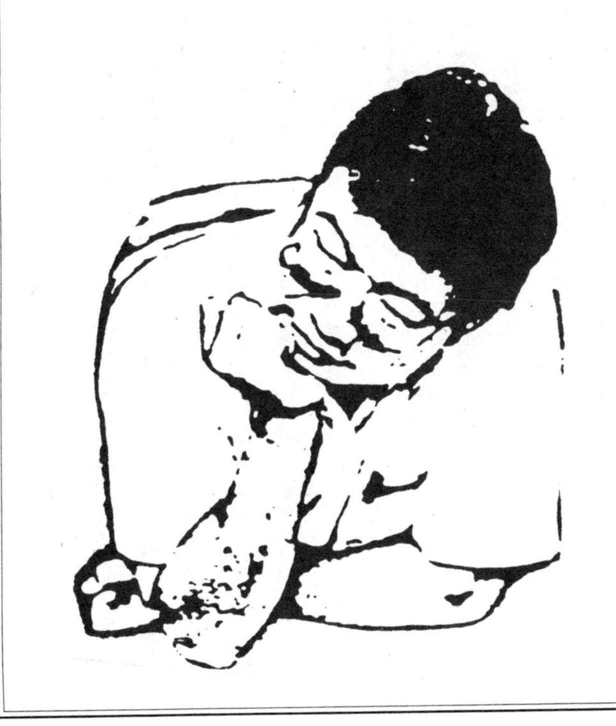

最近行政院正在研擬修改「行政院組織法」，部份立法委員認爲發展體育非常重要，因此連署建議成立體育部。就制度而論，現在連署建議成立體育部的立法委員已達一百零六位，如果再爭取連署人數使達過半數一百五十三位，便可依據憲法第五十七條第二項「立法院對於行政院之重要政策不贊同時，得以決議移請行政院變更之」規定處理，以決議方式移請行政院接受成立體育部的建議。如果行政院堅拒不肯的話，行政院長就很可能因此被迫辭職。

毋須疊床架屋另設體育部

然按之「國民體育法」已明定全國體育行政的主管機關爲教育部，且國民體育之實施，須依據我國之教育宗旨。事實上，目前教育部之下已設有體育司，統籌國民體育事項，毋須疊床架屋另設體育部。筆者現在擬就五育均衡發展、維持文化自主性，以及施政優先順位三點來論述何以此時此地不宜設置體育部。

體育政策缺乏整體的規劃，往往徒勞而無功，確爲事實。然而，體育政策的失敗，只不過是教育政策全盤失敗的冰山一角。四十年來的教育，在德智體羣美五育之中，並非只有體育失敗而已：德育只造就了缺乏自主性的服從倫理；智育也未培養學生具有獨立思考的能力；羣育只養成集體的偏執，而無法經營正常的團體生活，爲多元社會奠立良好的基礎；美育則根本失敗，國人數十年來在藝術方面缺乏獨特創造能力，更是公認的事實。由此可見並非只有體育需要特別重視而已，在經費有限，五育宜均衡發展的考慮之下，是否值得全力推動體育設部運動，不無疑義。

支持成立體育部的立法委員頗多著眼於：我國參與國際性運動競賽日繁，亟需一較高層次的政府部門經理其事，妥用資源訓練專才，以提高競賽成績，爲國爭光。

培植明星失去運動的教育意義

鼓勵資賦優異者參加競賽固然也是國民體育的項目之一，然而國民體育的主要目標仍在於鍛鍊全民强健體格，提昇全民尚武的運動精神。考之西方體育的基本精神，乃是希冀假借運動競賽來化解武力衝突，其本質乃是「爭强好勝」，與我國「自勝者强」的反省精神一比，實在差一大截，蓋運動的目的在於强身、自衛，而非逞能炫技。一百米跑九秒八或九秒九，即使有所差別，但這種差別值得賦予如此重大的意義嗎?多拿幾面金牌難道就表示進步嗎?就表示各該國的政治社會制度值得「可欲」、「可求」嗎?試問東德的獎牌經常拿得比西德多，蘇聯拿得比美國多，難道就可導出東德、蘇聯的共產制度比西德、美國的民主制度更具優越性嗎?其實，我國自有獨樹一幟的價值觀，没有必要定得按西方文化的標準來從事國民體育。更何況站在人文教育的理想來看，我國傳統的教育理想多有值得西方學習的哩!爲了爭取競賽成績而設體育部，一旦成立之後，漸久又將國民體育侷限於培植運動明星，這種捨本逐末的作法，完全失去運動的教育意義。

再者，發展體育雖屬重要，但是照顧勞工、農民及社會福利也非常重要，或是更重要，如果都要循例設部的話，豈非部會充斥?不可否認，行之數十年的政府機構早已不符社會的需要，整個行政體系也到了必須改弦更張的時候。不過政府組織的調整仍須遵守一定的原則，才能發揮最大的行政效能。以一時所好任意增裁政府部門，絕非長治久安之計。

運動作爲國民教育，比計較競爭勝負更爲重要

國民體育的重要性不容忽視，但是運動競賽究屬民間活動性質，應由全民自發

從事。政府大可從旁輔導，以教育行政予以配合，卻不宜爲追求浮而不實的金牌而大力斥資干涉。何況時下萬般施政百廢待舉，社會福利都尚在起步階段，投注大量人力、物力訓練運動明星實屬浪費。

近一、二十年以來，政府爲了在國際體壇揚眉吐氣所訓練的一批運動明星，固然爭取了不少榮譽，但這些運動明星，對全民體育的推展多少貢獻，實不無疑問，這在在顯示政府體育政策的偏差。我們必須深切反省：運動作爲國民教育，比計較競爭勝負更爲重要。

希臘哲人有言：「健康的靈魂只能存在於健康的肉體之中，靈魂的優美也只能經由健康的肉體方得充分表現出來。」重視體育的人應多加致力倡導國民體育，並提昇運動精神，造成心理、生理合而雙美的國民品行。勿再對增設「體育部」與否的問題挖空心思，斤斤計較於競技場上的得失。

——《中國時報》一九八九年一月

以「新五倫」重建人際關係

——談羣育教育的改革

在多元化的社會，羣育的重要性不容忽視，傳統的羣育教育過分强調「服從」與「合羣」，導致集體宰制以及對權威的無條件順從。

本文以人格自由主義的精神，主張合羣是建立在自由、自律和自主的基礎上，與人相和同，應嚴守正道。提出「夫妻」、「親子」、「師生」、「社團」、「政府與人民」等新五倫的觀點，教育下一代，以符合現代社會的人際關係，使國家社會在和諧的氣氛下更具創造力。

在傳統的教育中，大家習慣將德智體羣美五育並重，但依我看來，與建構一個現代化、有高度工作效能的社會，關係最密切的，莫過於羣育。

過去的羣育教育，大多特別强調「服從」與「合羣」，想將「服從」與「合羣」的要求，内化到受教育者行爲與價值判斷裏。事實上，若過份强調「合羣」，很容易演變成以犧牲個人的意見和立場來遷就集體行爲的現象（這在一般的羣衆運動中最容易發生）；而若過分强調「服從」，則容易造成某種對「權威」的無條件順從。

羣育應立足於人格自由主義

在家庭、學校、辦公室，似乎常常可聞「到底是你聽我的還是我聽你的」這種聲音和論調，我想我們就從這裏來談「服從」。

傳統以來，在家庭中常是老婆要聽丈夫的，子女要聽父母的；在學校裏，則認爲學生要聽老師的；在辦公室内更是雇員要聽老闆的……，事實上，這都是一種以權威爲主軸的人際關係模式，且是高度同質化社會的產物。

農業社會時代，社會結構非常穩定，社會流動的可能性微乎其微，每個人的社會地位與角色常由他的身份來決定，故而，在傳統的農業社會中，「權威」很容易建立起來，往往輩分高，權威就大。

對權威的强調，有助於社會的穩固和安定，但是工業革命後，大家庭制度逐漸式微，人口大量集中城市，隨之而來的乃是一多元化的社會，每個人所扮演的角色亦已不若舊社會般單純，更不可以社會身份來決定其社會角色，也就是說，在農業社會中，懂農事最重要，而且做愈久的人愈專精，使得老人的權威容易建立，然而在工業化之後，大量人口從農村解放出來，就業分化得很厲害，不懂農事也可以過活，只要有其他的專長即可，因此，單純建立在年齡與輩分一元化社會中的權威，自然就會瓦解，如果此時還過分强調「服從」、强調「權威」，很容易阻礙新的社會制度或新的社會形態發展的可能性。

站在人格自由主義的立場，每個人都是自由、自律、自主的，大家都是平等的，在現代化的社會中，人與人的關係很難以單純的服從觀念來維繫。

不過我在這裏要補充一點，軍隊中所强調的服從是有特殊目的的（捍衛國家、保護人民），故而軍隊中對服從的要求必特別的嚴格，甚至等於是訓練服從的品德。下級對上級的命令，不限於合理的命令，對不合理者亦必須甘之若飴，將之當成是自己的意見來服從，如果每個人在軍隊中有自由判斷的權利，打仗時最可能遭到全軍覆亡的命運。

一般社會畢竟不同，軍隊裏强調整齊畫一，高度的服從；在一般社會中强調的則是要充滿活力、創新，故而過分强調服從，容易阻礙其發展。

接著我們可以來談談「合羣」，從心理學的角度來看，人本來即有合羣的傾向，人也希望獲得朋友的認同，過分强調合羣的結果，最典型的例子，就是會像羣衆運動一樣。

這可以從羣衆運動的基本特質來分析，羣衆運動都有高度的「匿名性質」，故而自然有一種責任的擴散，而且這種擴散是人愈多就愈容易擴大，在無限擴散之後，就不必負責了，也就是說，羣衆運動有一種高度情緒感染的特色，理性被壓抑，個性也沒有了，對事件處理的理性判斷已不可能，可見到的實例像納粹運動、狂熱的宗教運動，或中共常弄的羣衆運動都是。

真正的羣育，若本著人格自由主義的立場而言，應是「如何培養受教育者能夠自尊、自主、自律地與其他不同出生背景、不同教育程度、不同種族、不同宗教信仰……等不同意見的人彼此共事」。

尊重每個人人格的自由、自律和自主

我們的社會民主化才剛開始不到三年，整個民主政治的基礎仍相當脆弱，我認爲這都要歸咎於長久以來以培養「服從與合羣」那種對權威盲從的教育形式。民主政治不僅要有健全的個人，更重要的，在個人與國家之間，也需要有社團生活來充實，因爲，社團生活即在自然而然地教人如何與人共事。

我到德國留學五年半，一直在觀察，德國這個民族向以組織聞名，到今天每個單位生產力最高最大的也是德國，雖然他們每週只工作三十七個小時，工作效率卻還是最高。所以我想在此舉個最簡單的羣育的例子：

假定有人發明了一項新技術，想找人投資以事生產，當他找到有興趣投資的人後，通常會談到技術股的問題，原發明人自認應擁有二〇%的技術股，但按常理來說，投資者必然會殺價，因爲他對這項新技術的未來產品市場競爭力尚不確定，所以他可能希望只給一〇%做爲技術股。由於與發明人的期待利益不符合，在台灣，這個發明者極有可能立即以「寧爲玉碎，不爲瓦全」、「絕不屈辱」的觀點，決定停止合作談判。於是，一項新發明、新技術，以及可能造福人羣的產品，就因此消失了。

在德國不一樣，遇到類似的狀況，發明者通常會理智地先行估量在整個產業界中，對他這項發明有了解、有興趣的業者大概不多，若就此停止合作，未來可能永遠沒有機會生產自己這項新產品，所以他通常會決定繼續談判，爭取可能性最高的技術股，投資者那方面也是同樣的想法，或許到最後以一二%技術股的合作比例談成。

真正開始合作後，在德國，這位發明者會以兩年的時間投入加倍的努力，以證明他的發現、他的精神和對公司的貢獻，是不可或缺的。兩年之後，大家再來談談，這次要求增加技術股到二五%，而事實上，由於他兩年中自己的投入與努力，信譽也建立起來，有興趣投資的人更多了，老闆爲留住人才，避免外流造成自身產業的威脅，自然願意與他達成協議。

大家想想看，這樣的話，整個社會很多新觀點、新的構想、新產物即將源源不斷，何樂不爲呢？可是在台灣的社會裏很遺憾，不僅企業界掙脫不了家族色彩，甚至政治也掙脫不了家族山頭的壟斷，很少有以理想結合來推動事務的。

在西德，常常有一羣人爲同樣一個理想努力共事的情況，雖然於工作中也可能產生歧見，但他們不會要求大家百分之百的認同，他們會彼此協商，尋求大家都能接受的方案，即使距理想達成，只有百分之十的程度，大家也會在這個百分之十的基礎上共同努力，在共事經驗中，能夠互相了解、產生感情，下次的合作就更容易了，也能得到更高的回響，這樣他們的組織就可以活絡，也能發揮功能。

我舉這些例子，是給大家參考。我們要的不是盲目的服從，不是那種沒有個性、犧牲意見的合羣；人格自由主義的合羣，是建立在自由、自律、自主的基礎上，要了解到，一個人的力量畢竟有限，現代化的社會中，哪個國家的國民愈有能力結合在一起，愈能有效率地組織起來，這個國家就愈有成就。

教育下一代了解新五倫

人格自由主義羣育理想，是建立在互爲主體性的概念上，是互相尊重，有道理的可以互相接受，而不是誰聽誰的。

我很擔心現在的民主觀念，常常受到資本主義，尤其是美式資本主義思想的影響，常常過分强調個人，而也僅止於個人——强調個人的自由、個人的能力發展，反倒忽略了對別人，對社會應有的責任與尊重。

以婚姻生活來說，太過强調個人，誰也不服誰，離婚率必快速成長，我常說事實上沒有什麼「好丈夫」、「好妻子」，只有「好的夫妻關係」，一般人常認爲夫妻之間是最親的，不必太計較，而變得馬馬虎虎，這很容易造成男人專制，其實，夫妻關係就是要站在「互敬互重」的立場，「用心計較」地經營，才可能有好的夫妻關係；再擴大到社會生活中來講也一樣，「互敬互重」正是羣育的重點。

如果從父母與子女之間的關係來看也一樣，我從不認爲有天生的「好父母」、「好子女」，只有「好的親子關係」，有人對其子女言而無信，喜歡耍權威，更糟的是濫用權威的籌碼（零用錢的多寡），這都易使親子關係遭到嚴重的扭曲。

在學校也一樣，建立「好的師生關係」絕非單方面的責任，老師與學生間互重的程度有最直接的影響；至於以同輩團體爲主的社團生活，也是有賴於參與者彼此的互敬互重、彼此的退讓容忍，才能使得社團生活盎然有趣；最後，政府與人民之間的關係，也是各有分際，政府應尊重人民的基本權利，人民也要服從公權力。

這「夫妻」、「親子」、「師生」、「社團」、「政府與人民」的關係，不正是傳統倫常所說的夫婦、父子、師生、兄弟與君臣的關係嗎？不同的只是這種奠基在人格自由主義、符合現代社會的人際關係，我稱它爲「新五倫」，如何教育我們的下一代了解，這新的五種以我國傳統倫常理念爲基礎，且根源於我國儒家思想的人格自由主義的人際關係，即當今從事羣育教育的基本課題。

——《中國男人》一九九〇年八月

善政不如善教

——從國中教育制度多元化談起

學校教育亟需改革，早已成爲國人的共識。但是「該如何改革」，則向來衆説紛紜，莫衷一是。在本文中，朱高正嘗試提出一全面性的學校教育改革方案——教育體系多元化。其中多有革命性的見解，也爲將來有關教育改革的討論，提供更廣泛與更深刻的論點與議題。

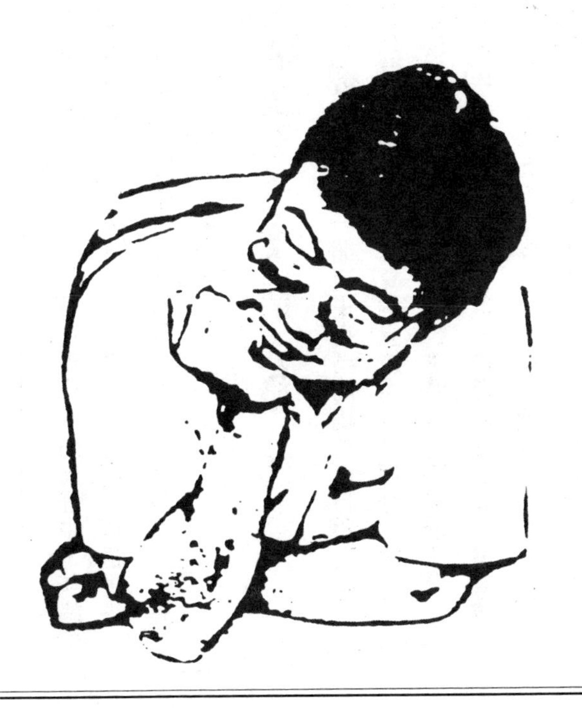

政治要長治久安，必得倚賴文化的基礎與理想。因爲在現代化的過程中，無論建立民主的政治制度或均富的社會經濟制度，都必須先形成國民的共識，確認這些制度爲經營公共生活的基本價值，才能凝聚爲推動國家現代化的動力。教育，正是培養國民由文化修養上，確立上述基本價值的首要政事。

教育的目的在培養受教者健全的人格

康德是啓蒙時代的大哲學家，他鼓勵每個人公開運用自己的理性，自由自主地發展其人格。康德所言，正是教育的目的。因爲有勇氣獨立運用自己理性的國民，一定會支持民主政治與均富的社會經濟制度。但是，當前台灣的教育不但無法發揮應有的功能，而且還戕害受教者的人格，成爲國家社會進一步發展的隱憂。教育體系最重要的部分——學校教育，更是到了非大刀闊斧改革不可的地步。

當前的學校教育，升學主義掛師，一味偏重「智育」，早已忽略教育的根本目的——培養健全的人格。即使智育，也只是讓學生爲考試、爲學歷，而死讀、硬記。聯考之後，就丟得一乾二淨。國中教育階段，本來是青少年心智最活潑、最有創意的時期。但在國中教材一元化的壓抑下，學生不是因挫折感太重轉化爲反社會行爲，就是養成逆來順受、陽奉陰違的個性。如此成長起來的國民，不但不能在社會上相互競爭、相互寬容，共同組成重視「組織」與「效率」的現代社會；反而塑造出無數自私自利的冷漠者，或自暴自棄的邊緣人。

教育部近年所推出的「國中生自願就學方案」、「五等第計分法」等改革計畫，只是以頭痛醫頭、腳痛醫腳的方式，處理一些枝節性問題。例如，自願就學方案强調常態編班，只不過將「後段班」學生打散到「班後段」，其未受良好照顧的弊病依舊。而且將能力、性向不同的學生硬編在一起，更讓個人的獨特才分被埋沒。況且目前教育資源集中在城市，實施自願就學方案，也解決不了明星學校、越區就讀等問題。

教育體系多元化

筆者以爲，惟有採行教育體系多元化的改革措施，才能根治當前的教育問題。在國小五、六年級階段，先以「性向」、「能力」、「意願」爲評量標準，建議學生在國中階段及以後的發展方向。再依不同的發展方向，編出三大類的國中教材及課程內容。三大方向是：升高中、升職校、就業。三大發展方向的教材及其課程內容，筆者構思如下：

甲類教材，針對國中畢業後欲直接就業的學生，提供一個新的學習領域。在教材的編寫上應力求簡單、實用，而能切合實際的社會生活，並以培養良好的工作倫理與負責的人生態度爲目的。爲增進學生的工藝技能，在國二階段，一星期應有兩天，國三則延長爲三天，安排學生到工廠實習或接受師傅的指導。即使學校地處偏僻而交通不便，亦應利用寒、暑假提供學生學習技能的機會。如此一來，既可避免他們游手好閒、惹是生非，又可培養其一技之長與健全的人生觀。

因材施教，人盡其才

在甲類學生畢業時，國家贈送每人一册「現代國民小百科」，將國民的權利義務、納稅須知、戶政事項、訴訟程序、警察行使職權正當手續及與一般人生活息息相關的常識列入。在國中三年的教育中，就應使學生學會如何使用這本手册，使其日後能自行查閱，以擁有參與社會生活的平等機會。在他們投入就業市場後，基於全體國民都有平等接受教育機會的原則，國家應花費更大的心力，提供更多的資源，興辦國民補習教育，使其就業後，還有於夜間或假日繼續進修的機會。在這樣的架構下，甲類學生將不再淪爲能力分班下的「放牛班」，亦不致變成常態編班下的墊底者；他們個個都有一技之長，均能成爲敬業樂羣的好國民。

乙類教材，針對國中畢業後欲接受職業教育的學生而編寫。其難度應較現行部頒國中教材爲低，並以銜接進一步的職業教育以及培養未來的技術人才爲目標；亦即以國中教育爲專門職業教育的預備教育。因此，對於藝能科應特別加强。尤其對於固有民族工藝、傳統建築風格、中國工藝史等均應予以介紹，以啓發其將來創作的泉源。

職教的重要性

其實，職業教育在整個學校教育體系中應占有最重要的地位。就個人而言，在社會上，有機會接受高等教育、從事學術研究者畢竟占少數，但職業教育卻廣泛地對於大多數人的自我成長及職業生涯具有深刻意義。就國家而言，成功的職業教育能培養出許多優良的技術專業人才，成爲推動國家經濟發展的動力。換言之，職業教育實爲從事國際經濟競爭的決勝關鍵。

然而，我們的職業教育卻在經濟起飛之際，呈現嚴重危機。以高職與五專入學方式爲例，僅憑聯考成績決定學生的類別與科系，完全忽視了職業試探與性向輔導措施，難怪會產生無數興趣不符的學生。而職校畢業生缺乏進修機會、未有完善的證照制度，都使得職業教育不爲學生、家長、老師甚至社會各界所重視。因此，爲因應未來經濟發展的需求，政府毋寧應更重視職業教育，使其維持開放性並扮演吸納轉學生、進修生的功能，讓每個人都有接受職業教育的機會，包括畢業後就業滿三年的甲類學生，無法進入高中、大學或在高中、大學就讀期間被淘汰的丙類學生都能轉入職業教育系統。

同時政府更應與企業界合作，讓學生在進入職校之後，能藉著教育與企業訓練合一的雙軌體系，一方面在學校學習專業理論知識，另一方面則在企業界進行實習培訓；並透過完善的職業證照制度，使其畢業後即可取得執照。國家更應規畫在職進修制度，配合就業者的發展需要，安排適當再教育與再訓練機會，以開發其工作潛能。藉由職業教育系統的開放性，保障技術專業者的生存空間與幫助其自我實現，必能提高職業學校的就讀誘因，並避免學生一窩蜂地擠向普通高中和大學，而徹底打破文憑至上的觀念。

前百分之七十方案

丙類教材，針對想上高中、大學的國中生而編寫。其難度以現行部頒國中教材爲準即可。高中、大學聯考應予廢除。只要國三成績在各該班前七〇%的學生，無論該國中位於城市或窮鄉僻壤，都有就讀高中的機會。無論上那一所高中，只要其高三成績在各該班前七〇%，都有進入大學院校的機會。此外，在升高中、大學之際，另針對在各該班成績後三〇%的學生，舉行全國性的會考，凡能考進前五〇%者，亦給予就讀高中、大學院校的機會。將大學窄門敞開之後，各校應於大二結束之際，自行舉辦會考，淘汰五〇%的學生。在課程設計方面，大一、大二因學生人數衆多，宜以演講課爲主，政府也應寬籌預算，補助各校蓋可容納五、六百人的大型演講廳，以爲因應。大三、大四因人數已減爲一半，則可以小型的討論課程爲主。

讓前七〇%的學生均可入學的方案有四大優點。首先就個人人格發展而言，大多數人無須參加補習也能進高中或大學，因爲有可能參加補習的將只是成績在七〇%邊緣的少數人。這樣必能使惡補現象消弭於無形，常態編班、正常教學的目的也就自然達到。否則在現行聯招制度之下，學生爲少數入學名額而擠破頭，惡補現象難消，根本無法充分發展其潛能；至於在聯考中遭到淘汰的，則將其挫折感轉化爲反社會行爲或自暴自棄。何況，依筆者所提的方案，學生無須爲聯考投注全部心力，必能擁有較多個人自由支配的時間，而更開闊、更自主地發展自我。

入學從寬，畢業從嚴

其次，就健全高等教育而言，「入學從寬，畢業從嚴」——前七〇%的高中生進入大學，至大二淘汰二分之一——的方式，正可掃除「大學由你玩四年」的觀念，大幅提升高等教育水準，以免浪費國家教育資源；另一方面也能使學生及家長體認到，即使在實力不夠的情形下，勉强進入大學，最後還是會遭到淘汰。因爲在此設計之下，假設有二百個選讀丙類教材的國中生，最後能從大學畢業者將不超過四十九人，即占原來的二四．五%以下（200人×70%×70%×50%＝49人）。如此一來，政府若能同時建立完善的職教系統，必會使許多學生及家長改變觀念，認爲讀大學還不如進職教系統有較穩定的前途，從而打破盲目崇信高等教育的心態。

何況，一個人到了大二，身心狀況已較爲健全，被淘汰較不會產生挫折感，較易以樂觀開朗的態度面對。政府亦應透過適當的輔導措施，使這些淘汰者能轉入職業教育系統就讀，提供他們另一個發展的空間。

第三，就教育體系多元化而言，廢除聯招，改變入學方式之後，即可讓各個大學、學系自行挑選學生，學生自行申請學校。例如，數學系可自行規定學生入學資格爲高中數學成績在各該班前一〇%者。如此必可鼓勵各校、系發展自己的特色，學生也因此得以多樣性發展其才能。

根除城鄉差距

最後，就區域均衡發展而言，目前教育資源的分配嚴重不均，城市學生遠比鄉下學生享有更良好的教育環境，以致大學院校學生大部分來自城市。在工業社會，接受較良好的教育，往往意味著將來的所得較多、社會地位較高。由於，鄉下學生接受高等教育的機會較差，導致其未來發展亦較爲有限。只有少數較有心的父母，在家庭資力負擔得起的情形下，讓小孩越區至城市就讀，而每天接送其上下學，或越區寄讀。然而，在小孩成長最重要的國中階段，因越區寄讀而離開父母身邊，對其人格發展實有不良的影響，且易造成偏差行爲。筆者所提的方案正是保障鄉下學生接受高等教育的平等機會。只要成績在各該班前七〇％，鄉下學生與城市學生一律平等，均可就讀高中、大學。政府若能同時加强提供鄉下學生充足而完善的教育資源，必可減少鄉下年輕人口的外流，更可吸引城市人口向鄉村回流，徹底消除越區就讀、寄讀的現象，破除明星學校，而有助於菁英階層養成的均衡發展。

保持流動性，實現眞平等

最後應特別强調的是，上述甲、乙、丙三類的學生應允許其轉學而保持適當的流動性。以一個就讀甲類的國一學生爲例，他若認爲行有餘力，而有轉讀乙類或丙類的意願，就應允其降一年讀起，亦即多讀一年國一。因爲他必須比其他原來就讀乙類或丙類的學生多出一年的時間來彌補、加强其課業。同樣地，國二、國三學生若有轉讀的意願，也應降一年讀起。至於乙類學生想轉讀甲、丙類或丙類學生想轉讀甲、乙類也應依此原則。因爲即使丙類學生在學科方面較爲突出，但無可否認地，他仍然必須加强其在藝能術科上之不足。如此一來，三類各有其特色，各有發展的前景，不致發生將所有人不分性向、能力與意願予以常態編班下的假平等，而是讓每個人儘量發揮其潛能的眞平等。

惟有多元化的教育體系，才能讓每個人的潛能發揮出來，使每個人都能很自主地發展其人格。實現人格的自由、自律與自主，正是教育的終極理想。政府應該拿出魄力與決心，徹底改革學校教育，培養具有獨立人格與自由精神的國民，以加速完成國家的現代化。

——一九九三年二月二日、三日，散見國內各大報

「聯招分餾機制」批判

——爲正常教學找出路

台灣自一九六八年實施九年國教以來，國中教育改革的焦點，常年被錯置在探討能力分班和常態編班的優劣比較上。作者直指這種爭議既「不對焦、也不科學」，並力陳國中教育偏離正常教學的根本原因，在於「聯招分餾機制」。一般人對聯招制度雖有批評，但總難忘懷於它的「公平性」。本文條分縷析，論證聯招雖然排除了特權的介入，然而對大多數的學子而言，卻造成了更大的不公平。

要改善國中教育，必得廢除聯招分餾機制，改變入學方式，同時引進教材分類，實施分校或分組學習，才能因材施教，實現「正常教學」的理想。

台灣的留學生，在歐美各大學校區的表現，一向頗受讚揚，顯見台灣的高等教育在政府大力投資下，已趨相當水平。然而，每年國小畢業約四十萬人，而大學畢業不到五萬人，可見只有不到一三％的學生有機會接受高等教育，而犧牲了絕大多數聯招落榜者接受正常教育的機會。爲了八七％學子的權益，今天教育改革的重點除了徹底改革職業教育外，首推健全國中教育。

要探討國中教育的問題，須回溯到一九六七年六月，當時蔣介石總統宣布一年後實施九年義務教育，經過匆忙的準備，隔年台灣的國民教育邁入一個新紀元，大幅提高了國民的平均學歷，然而卻因事前規畫不周，致弊病叢生。青年學子在「升學主義」、「分數掛帥」之下，承受著重重壓力：來自同學間錙銖必較的競爭，及家長望子成龍、望女成鳳的期待，導致其個人毫無自主的生活空間。對於不打算升學的青少年，則在學校或家庭遍嚐輕視、嘲諷和譏笑，自信、自尊一再遭到無情的打擊，這不只對我們下一代的人格發展造成鉅大傷害，對國家未來文化創造的活力也是一個難以估算的損傷。

關鍵的一九六八年

一九六八年以前，小學畢業未升學者約占四五%，其餘則經由考試升初中或初職就讀。而初中、初職的教材，難易程度有別，俾引起不同程度學生的學習興趣。但自九年國教實施之後，把原來未繼續升學的、升初職的與上初中的三種學生，不論其學習意願與能力，皆安排在同一所學校、同一個班級，採用同一套教材、同一樣進度。這種囫圇吞棗的「常態編班」對學生根本未能善盡教育之責。

對那些原來即無升學意願的學生而言，如果予以常態編班，即使採用原來爲初職學生設計的教材，都嫌太深，何況現行部頒的教材更難於以前初中的教材，他們註定成爲「班後段」。如果採能力分班，他們聚集在「後段班」，更便於呼朋引伴，加上少年血氣方剛，犯罪行爲極易發生。事實上，在正常教育體制下，有個性、有主見的學生本應成爲社會菁英，但我們的教育卻將他們凝聚成一股巨大的破壞力量，至於不敢反抗、較爲順從的學生，雖然聽不懂上課內容，卻仍要在教室裡枯坐三年，這更是導致言行不一、爾虞我詐的社會風氣的根本原因。

對於適合上初職的學生，如果被編在前段班，則在中上程度學生環伺下必定得加倍苦讀；如果採常態編班，在升學壓力之下，也不見得「明天會更好」。對於原本上初中的學生而言，無論常態編班或能力分班，都要面對激烈的升學競爭。

「聯招分餾機制」的形成

以台北市公立高中聯招爲例，台北市一年國中應屆畢業生約四萬五千人，加上非應屆畢業生及外縣市慕名北上的學子，報考人數高達六萬人。而第一志願建中與北一女僅錄取三千人，考試成績要占前五％才能擠上第一志願，第二志願也要前九％，第三志願要前一三％，全部公立高中的錄取率是二五％，如此即產生了所謂的「明星學校」。聯合招生爲了使數以萬計考生的程度能像分餾法一樣，一層層清清楚楚區分出前五％、九％、一三％、二五％，在命題上，不得不出一些能測出不同程度的、冷僻而艱深的題目。

爲了應付聯考，老師的教學亦被迫扭曲，必須挪用藝能科、自習課或班會的時間，甚或於下課後另闢「第八堂」的時間來加强輔導，大多數國中生甚至要在校外另行補習，以便能更加熟練地解答那些高難度或較冷僻的試題。這些想升學的學生，在「聯招分餾機制」下，喪失了人格自由發展的基本人權，形同一具具考試機器。而參加校外補習，可觀的補習費用造成低所得家庭的沈重負擔，城市中林立的補習班，對鄉村地區學子則可望而不可及，這種雙重的不公平，使教育資源獨爲中上階級與城市地區民衆所享用，從而造成越區就讀或寄讀的問題。

決定聯招表現的背景因素

現在讓我們來檢視一下這個「聯招分餾機制」。古今中外並無任何學理或調查研究可資證明，在某一特定制度下分餾出來的前二五％學生的表現會優於其他的七五％。所謂「小時了了，大未必佳」，這種稱斤論兩地把前五％、九％、一三％，層層分出來的少數優勝者，只能證明其在國中階段個人心理狀態穩定、無青春期適應不良問題、本人又不太笨、且家庭生活和樂、父母重視子女教育、家居城鎮地區、並且幸虧沒有遇上壞老師而已；並不必然保證其將來就是優秀的學術研究人才、稱職的好國民、誠實的稅納人或敬業的勞動工人。聯招分餾機制下落敗的青少年，往往是在國中階段遭遇父母失和、家中經濟發生鉅變、家居偏遠地區，或是因老師輔導失當，無法激發其學習動機，他們的資賦與聯考上榜者並無本質上的差別。倒是由於聯招，不少學生太早嚐到失敗者的苦果，以致自尊、自信頻遭斲傷，嚴重影響其日後發展。

以明志工專爲例，創校於六〇年代，採建教合作，當時沒沒無聞，一般初中成績好的學生大多想升高中，最後招收到的大多是家境清寒的學生。然而在辦校人員有愛心、有耐心的培育下，造就出來的畢業生在社會上表現優異，成爲產業界爭相延攬的對象，明志工專亦因而校譽日隆，搖身一變，成爲「明星學校」。由此可見，聯招分餾機制，僅能分辨出個人心理或家庭條件的優劣，並無法證明聯招分餾機制下的優勝者，就是國家社會未來的棟樑。

聯招才不公平

此外，聯招分餾機制造成全家總動員的怪現象，亦值得檢討。只要成績好、分數高，這些「天之驕子」在家裡可以對父母不敬、對手足不體恤，也可以拒絕分擔家事，更可以呼風喚雨、頤指氣使，成爲號令全家的獨裁者。這些所謂的「菁英」，人格發展嚴重偏差，對全人格的教育目標而言，簡直是一大諷刺。而教師在學校的地位，也完全取決於學生升學率與猜題命中率的高低，從而忽略了教師最主要的職責，乃在於從旁培養學生健全的人格與獨立思考能力，激發其想像力與學習動機。

聯招雖排除了特權的介入，然而對絕大多數學子，卻造成影響更大、危害更鉅的不公平。

目前，國中教育改革的焦點，被錯置在探討能力分班和常態編班的優劣比較上。其實，能力分班乃競爭激烈的聯招分餾機制下的必然產物。學校因資源有限，爲了有效提高升學率，不得不鎖定部分學生加以嚴格訓練，以成爲在聯招中爲學校攻城掠地的精銳部隊。這是軍事化教育與精兵主義的翻版，也是軍國民教育思想的延伸，而聯招考試則是主戰場，故不必用心培養學生獨立思考的能力，只要反覆地訓練學生的解題技巧，使之成爲背誦考試題型的機器戰警。前段班的學生享受大多數的資源，而其他學生則任其自生自滅，無論是師資、教學設備、紀律要求都有顯著的差別待遇，造成同學間階級意識鮮明，這是「能力分班」對教育理想的最大戕害。

「能力分班」與「常態編班」的爭議

針對能力分班造成的弊病，不少有心人士基於人道的考量，而提出常態編班的訴求。主張教室是生活的一部份，生活即是要學習和各種不同階級或程度的人的和諧相處，彼此互相幫助、互相學習。然而，這種「有教無類」，既不分校又不分組的常態編班，除非班級人數能控制在十位以下，否則教師以有限的精力和時間，絕對無法關注到每一位學生的學習差異，其結果只是把後段班的問題變成班後段而已，並無法解決能力分班所產生的弊病。而主張常態編班及能力分班的人士，經常指責對方違反教育基本原理，其實這種爭議是不對焦、也不科學的。因爲兩者並無一套共同的判準，一方是心中道德情感的宣洩，另一方則是身處無奈現實的辯白，彼此並無共同的焦點。

三十多年前開始實施聯招，形成少數明星學校，實有其不得不然的時代背景。當時台灣經濟困難，乃貧富差距不大的小農社會。教育資源有限，合格師資亦頗缺乏，經由聯招把程度較好的學生集中在一起，致力提升高等教育的水平，本無可厚非。而當時又處於威權統治時代，爲避免特權介入分發作業，造成不公，因此乃仿效科舉時代的「鄉試」、「會試」採用聯招制度，也是社會大衆可以接受它的基本原因。然而時至今日，政經環境大異於從前，聯招分餾機制已轉化爲種種教育弊端的根源。

今天的現實教育環境中，學生、老師、家長、學校、督學無不互相連結、彼此互動、共同做假。任何人一掉入這個聯招分餾機制中，每個人都不由自主地順著特定的邏輯來運作，從而衍生出諸多問題：如出題刁鑽、教學不正常、惡補、學生人格偏差、越區就讀、越區寄讀等。

廢除聯招，引進多元教育體系

要改善目前國中教育，必得廢除聯招分餾機制，改變入學方式，同時引進教材分類、實施分校或分組學習，徹底開創一個新的多元教育體系。

其實，以教材分類爲基礎，採用分校或分組學習，因材施教，在歐美各國早已行之有年。其分校、分組、而不能力分班的國民教育，值得我們參酌。筆者認爲國中教材可以分成甲、乙、丙三類：甲類教材是針對沒有升學意願的學生，內容以增進其謀生藝能，並培養其良好的工作倫理、敬業精神與負責任的人生態度爲主。乙類教材則定位爲專門職業教育的預備教育，以培養專門技術人才爲主。丙類教材則爲將來想升大學的學生而設計，以現行部頒國中教材爲之即可。在城市地區，採分校而不能力分班；鄉下地區，國一、國二學生依其學習能力，主科分組上課，副科則合班上課，到國三才依學生意願分班。

採用甲類教材的學生和班級，可在國二、國三酌情實施建教合作，國家有責任提供未成年的失學青年爲期三年的「二元制」義務職業教育。採用乙類教材者，只要國三成績在班上前七〇％，即可升高職，採用丙類教材者只要國三成績在班上前七〇％即可升高中，高中升大學方式亦同。乙、丙類學生如果國三成績未達前七〇％，可給予再讀一年國三的機會，如果仍無法進入前七〇％，則和甲類學生共同接受二元制職業教育。

前「百分之七十方案」除了可維持適度的學習壓力與品質管制外，將使老師得以自聯招分餾機制的桎梏中解放出來，對資賦中上的學生也可因而免除惡補的夢魘，學校也可不必繼續做假，能力分班亦將失卻其存立的客觀條件。況且既然只要成績在各該班前七〇％，即可升學，則對偏遠地區的學生就可免除越區就讀或寄讀之苦，明星學校亦無由形成，如此正常教學才有撥雲見日的機會。

——《中國時報》一九九三年三月二十三日

建立「二元制」義務職教體系

——爲百分之八十七的學子請命

我國自清末民初引進新學制以來，雖說揚棄科舉制度，但心態上却未做相應的調整。在台灣，從高中聯招、大學聯招，以迄職校聯招、專科改制學院，一般人之熱衷於「功名」，迷信於「文憑」，乃肇致「高等教育科舉化」，亦是職業教育長期遭到漠視的主因。

職業教育，對台灣八七%未接受高等教育的學子而言，有極其重大的意義。它也是廢止科舉制度，以因應工業社會需求學制改革的主題。本文針對施行職業教育最爲成功的德國「二元制」做深入淺出的剖析，並論述此「二元制」乃行會同業公會「學徒制」的現代版，頗多值得借鏡。

其實，我國傳統的學徒制若能配合未來產業發展的需要，由政府妥爲統籌規劃，從而建立二元制義務職教體系，則無論對國家未來的發展，或對八七%的學子而言，均將樹立一個嶄新的里程碑。

西元一八四〇年的鴉片戰爭，中國遭英國擊敗，此後，西方工業先進國家的侵略接踵而至。清廷不得不推行「師夷之長技以制夷」的洋務運動。然而一八九四年的甲午戰爭，中國竟然再敗於一心西化的日本——一個過去從不曾真正威脅過中國的東方小國。清廷至此才意識到不能再停留在追求「船堅砲利」的物質層面改革，而應更進一步在制度層面有所變革。

新學制的形成

在此亙古未有的大變局之下，基督教會遍設新式學堂，雖然對我國教育現代化有其貢獻，但是它們基本上卻是配合帝國主義勢力的擴張，進行文化與教育的侵略，並由教會學校代為培養「以華制華」的人才。而英、法、德、俄、日諸國又各在其勢力範圍內實行本國學制，致各地區學制就如同鐵路軌距，紛亂不一。另一方面，清廷也嘗試改革學制，先有一九〇二年的壬寅學制，然未及施行，隔年頒行癸卯學制。一九〇五年，正式廢除在中國已施行達一千三百年之久的科舉制度。民國肇建之後，改行壬子癸丑學制（一九一三年）。大體而言，清末民初的學制乃以日制為藍本，後來因留美學生回國漸多，深受杜威實用主義的影響，終於在一九二二年的辛酉壬戌學制採用美國的六三三制。此後，美制就成爲我國學校教育制度的基本型式。

台灣在日據時期的學制，則爲公學校六年，高等科二年，中學五年（表現優異可縮短爲四年）。二次大戰後，台灣歸還中國，始改採六三三學制。一九六八年，政府在未經詳細評估之下，將六年國民義務教育延長爲九年。然縱觀近數十年來，我們的教育，除高等教育尚差强人意外，早已弊端叢生。由於政策上偏重「國中─高中─大學」的升學管道，而一般民衆又將「教育」與「功名」混爲一體，「萬般皆下品，唯有讀書高」的心態根深蒂固，以致形成「高等教育科舉化」的現象。高中聯招與大學聯招不正是科舉制度中「鄉試」與「會試」的現代版嗎?其實，科舉制度有其特定的時代背景，在現代社會，全省或全國舉行聯考，必然會出現分餾法則，而這種「聯招分餾機制」正是「明星學校」、「能力分班」、「惡性補習」、「越區就讀」等問題的罪魁禍首。

不應再坐視百分之八十七學子自生自滅

自一九六八年實施九年國教以來，把原來不打算升學的、要升初職的與想上初中的三種學生，不論其學習意願與能力，囫圇吞棗地安排在同一所學校、同一個班級，採用同一套教材、同一樣進度，在「聯招分餾機制」的運作之下，極易使得學習意願或能力較差的學生自暴自棄，以致終日嬉戲遊蕩。而畢業後則又游手好閒，等著服兵役，這正是造成青少年誤入歧途，犯罪率直線上升的根本原因。即使有幸進入高中就讀，但若在畢業後考不上大學，則流入補習班，準備重考，直到上榜或當兵而後已。役畢之後，由於無一技之長，如果找不到工作，便參加短期職業訓練。然而，短期的職業訓練既無法培養出熟練的專業技能，亦無法使受訓學員充分發揮其潛能。

在台灣有機會接受高等教育者只佔一三％，但職業教育卻廣泛地對其餘八七％的學子的自我成長及職業生涯具有重大的意義。然而，由於政府向來不重視職業教育，復以職校體系極爲紛雜，諸如五專、高職、二專、三專等等，五花八門。課程設計既不理想，又未能有效傳授專業技能，以致學生往往抱持「混文憑」的心態苟且度日，而畢業後未能學以致用的情形亦不勝枚舉。這種聊備一格的職業教育不但未能培養專業技術人才，反而造成國家教育資源的嚴重浪費。

科舉制度已難滿足工業社會的需求

事實上，教育的基本理念古今並無二致，乃在於培養受教者獨立自主的人格，並傳授其專業知識與謀生技能。平心而論，我國傳統教育絕非乏善可陳。以科舉制度而言，不但與中國傳統的小農社經體制、儒家價值體系有互爲因果的關係，而且也具有分享權力與穩定社會的功能。只是在工業化的衝擊下，傳統社經結構產生極大的變化，逐漸從農業社會過渡到工業社會。儒家的價值體系就其功能層面而言已難滿足現代社會所追求的效率與技術。我們必須對傳統教育做合目的性的變革，才能從容面對現代化的挑戰。

在現代社會裡，專業知識的傳遞，固然須以專門學術研究機構爲媒介，然而謀生技能的傳授更應有全盤的規劃。因爲在從農人口銳減、製造業與服務業人口大量增長的情況下，教育除卻固有的人格教育外，更須培養具有產業製造技術與企業經營管理的專才，才能在高度工業化社會，成爲推動經濟發展與促成產業升級的動力。然而我國的職業教育卻因傳統「士大夫」的觀念，一再遭受漠視，亟須政府與民間同心協力，大刀闊斧地對職業教育做根本性的變革。

在重新規畫職業教育體系之際，我們有必要對先進國家的經驗與制度予以評比，俾對其做有重點的吸納。縱觀世界各國辦理職業教育最爲成功者，首推德國。德國完善的職業證照制度、進步的工業生產效率與精緻耐用的工業產品均拜其成功的職業教育之賜，其中尤以「二元制」（Duales System）的職業教育最爲人所津津樂道。德國人也自認爲其二次大戰後快速的經濟復興，應歸功於成功的二元制職業教育。

「二元制」義務職教產生的歷史背景

其實，二元制職業教育的產生與近現代的勞工運動有密不可分的關係。十八世紀末以來，法國一直是歐陸工業最發達的國家。因此，勞工運動唯法國馬首是瞻，譬如一八四八年的「國家工廠」，更是落實「勞動權」的前衛性措施。但是一八七〇年巴黎公社被肅清之後，法國勞工運動頓挫。德國挾著普法戰爭勝利的餘威，向法國索求巨額賠款，其工業因而突飛猛進，勞工運動的重心遂移轉至德國。一八八三年，德意志第二帝國首相俾斯麥率先推行舉世稱頌的社會立法，從此，勞工運動也邁入一個新的紀元。勞工開始組織生產合作社，自力興建勞工住宅，並積極爭取未成年勞工的教育權利。因爲惟有透過教育，使青年勞工讀書、識字，才能提高其權利意識，幫助其吸收新知與改善生活困境。否則，一個尚未成年就在工廠工作的勞工，爾後若無接受再教育的機會，極易淪爲廉價勞動力的供應者，而任人剝削，實爲對人性尊嚴最嚴重的褻瀆。

這些努力終於在一次大戰後，一九一九年的威瑪憲法中落實爲憲法條文。「勞動權」（Recht auf Arbeit）與「教育權」（Recht auf Bildung）均獲得憲法明文的保障，而具象化爲「勞工要求教育的權利」（Recht der Arbeiter auf Bildung）。隔年，即一九二〇年，德國開始實施二元制職業教育，迄今已有七十多年的歷史。所謂二元制（Duales System），是指勞工一方面是工廠或公司中的「學徒」，另一方面是職業學校中的「學生」。即一方面由學徒與廠商簽訂一份「職業訓練契約書」，並由廠商提供一份「職業訓練計劃書」，在國家監督之下，讓學徒每週至廠商處工作四或五天，由合格師傅指導，三年內學得該行業的全套技術。「職業訓練契約書」與「職業訓練計劃書」乃是由各行業同業公會擬定，經國家核可。易言之，它乃是「學徒制」的現代版，因爲有國家的監督，對學徒而言，更有保障。另一方面這個學徒也要以學生的身分，每週一或二天到職業學校，在老師教導下，學習與其所學技術有關的知識與理論。

目前在德國經國家認可參與二元制職業教育的行業分爲五大類：工藝類、經貿類、家政類、農藝類與混合類，總計有三百七十六個行業別。法律並規定，未滿十八歲的失學青年有義務接受三年的職業教育。有些邦並且提供學生在做學徒之前有一或二年的「職業基本教育」，藉著職業試探，以幫助學生瞭解各行業及自己的性向、興趣所在。事實上，德國二元制職教體系之所以成績斐然，關鍵在於其與職業證照制度密切配合。學徒只要學習期滿，經測試合格後，即可取得證照，成爲合格的職工，在取得二年以上的工作經驗後，可再進入專門學校（Fachschule）受訓，大約一至二年即可取得師傅的資格，並得獨立經營該行業，收受學徒。如此便能打破「有錢就能當老闆」的觀念，建立「有技術才可以當老闆」的共識。

二元制職業學校與普通高等職業學校比較，後者爲全日制學校，學生年齡約爲十五歲至十八歲。二元制職業學校則一週僅上課一或二天，學生年齡從十五歲至三十歲不等。此外，二元制職業教育是一個開放系統，學徒只須尋找自己想要學習，而爲國家所認可的行業，就能接受二元制職業教育。換言之，凡文科中學（Gymnasium相當於我國的高中）無法畢業、無法進入大學，大學没畢業或在高等職業學校輟學、失業及欲從事特定行業者，均能藉由二元制取得接受職業教育的機會。

我國傳統的學徒制亟需大力更新

反觀台灣，在一九六八年以前，小學畢業後不繼續升學者，不是留在家裡幫傭，就是以學徒的身分拜師學藝。傳統的木匠、鐵匠、鞋匠往往都是經由這種類似職業訓練的學徒制，學得謀生技能。然而，傳統的學徒制僅存在於某些較古老的工藝部門，師傅亦往往須透過長輩介紹或有心學藝者自行尋訪。現代二元制職業教育則是由國家立法保障失業青年在與廠商簽訂契約的同時，有到學校接受職業教育的機會，這也就是一種「由身份到契約」（from status to contract）的轉化過程，對失學青年而言，不啻爲一大佳音。何況在科技發達的今日，各種新行業不斷衍生，早已超出傳統行業的範疇，既無法在學校習得專業技能，也很難靠自己從廠商習得全套技能。若能透過國家的立法，建立二元制，必能培養大量技術熟練的職工，更可使國中畢業後即失學、大學聯考中落榜、或大學無法畢業的年輕人習得一技之長，而免於成爲無技術或半技術的廉價勞工。

其次，就實施二元制職業教育，對台灣總體經濟的影響而論，無可諱言地，台灣的社會組織及工業組織是如此地脆弱，以致需要高度組織技巧的大型投資計畫經常無法順利推動。唯有引進「二元制」，才能突破這個困境。尤其目前台灣未滿三十歲的就業者轉業頻繁，更是組織力薄弱的具體表徵。就業流動性高固然可美其名爲社會充滿活力與生氣，然細思之後可知，高度的就業流動率不但是造成台灣中小企業平均營運年齡未滿十五年的根本原因，更使得難度與複雜度較高的技術與專業，如經營技巧或財務管理，無法有效傳遞，以致大多數人僅是半技術或無技術的職工或老闆。再加上政府不當的財經政策，導致近幾年來股票與房地產的投機炒作之風甚熾，不但大幅降低勞動與投資意願，更嚴重斲傷經濟活力。因此，若能實施二元制職業教育，不但能强化我國的工業組織能力，有效提高生產效率與投資意願，更能提供目前欠缺勞工的中小企業一條穩定的雇用管道，從而對產業升級將產生極爲深遠的影響。

最後，從實施二元制的可行性來看，台灣蓬勃堅實的中小企業正是實施二元制的有利條件。以德國接受二元制職業教育的學徒而言，七〇％以上均是在中小企業培訓。因爲在大廠商的生產線上工作往往淪爲高度分工下的半技術勞工，而在中小企業則有機會親炙師傅，而可學得全套的技能。台灣經濟結構向以中小企業爲主幹，當然非常適合推行二元制職業教育，以我國擁有八十萬登記有案的中小企業而言，即使每年有二十萬國中畢業生接受二元制職業教育，每家中小企業平均每三年培訓一位學徒實已綽綽有餘。

建立「二元制」職教體系與延長國教爲十二年

綜上所述，可知無論就個人謀生技能的養成、國家總體經濟的發展或制度移植的可行性，二元制職業教育遠比延長國民義務教育爲十二年來得確實有益。國民義務教育在本質上乃是普通教育，以培養學生健全的人格爲主，九年並不算短。以德國爲例，其國民義務教育亦不過九或十年而已（隨各邦規定不同而異）。何況在「文憑至上」、「分數掛帥」與「升學主義」等觀念作祟之下，在「聯招分餾機制」與明星學校、能力分班、惡性補習、越區就讀等問題糾纏不清的情形下，冒然將國民義務教育延長爲十二年，只會使原本存在於國中的諸多問題延伸至高中，對教育的實質改革無所助益。唯有引進二元制，延長義務職業教育三年，健全職業教育體系，才是解決教育沉疴的根本之道。筆者以爲，二元制職教體系的建立可經由下列措施，逐步完成。

建立「二元制」的具體步驟

先將目前部分職業學校與廠商間所進行的「建教合作」的行業別提高至一百項以上，以做爲試辦二元制的基礎。而這勢需工業總會與商業總會的協助，敦促相關行業同業公會配合試辦。政府則應按照國家中長程產業發展重點所需技職工類別，規畫先行試辦的行業別，並訂定辦法，以鼓勵各行業同業公會參加試辦。而經工商主管機關評定爲合格廠商者，得先行試辦。

其次，政府可選擇幾所辦學績優的職業學校，如明志工專或復興美工，作爲試辦二元制的重點學校，並補助其增建教室，來容納二元制的學生。然後，將工研院及職訓局的設備、師資與技術做有計畫的投入。待試辦績效良好之後，再全盤修正「職業教育法」，明定國家應對未成年的失學青年提供爲期三年的二元制義務職業教育，以全面落實二元制。

教育必須開放給每一個人，所有國民都應享有接受完整教育的權利。對於八七%未能上大學的學子，國家有責任使其接受適當的教育。而二元制職業教育正可爲國民未來的職業生涯打下堅實的基礎。惟有透過實務導向的二元制職業教育，才能爲職業證照制度的建立鋪下坦途。惟有開放的二元制職業教育系統，才能有效傳授學徒專業技能，並提供年輕人良好的就業前景，使其自立自主地參與社會生活。而一個有定向、有專業技能的年輕人，必能藉著自己的努力，不斷地發展自我，超越自我，進而創造自我，成爲自己的主人。一羣有定向、有專業技能的年輕人，必能在我國產業技術升級中扮演關鍵性的角色，更是國家經濟發展與社會繁榮的生力軍。

——《聯合報》一九九三年三月二十八日——三十日

公共政策

對症下藥　整頓股市

——提案開放證券金融業務

國民黨黨營之復華證券金融公司，因長期壟斷股市融資融券業務，又無法滿足市場的需求，致「丙種墊款」應運而生。有鑑於丙種業務居間操作股市，不但使融資融券業務無法發揮應有調節市場的功能，反而造成股市暴漲暴跌。一九八九年底朱高正特提案要求財政部長就開放證券金融業務等相關問題，提出報告。

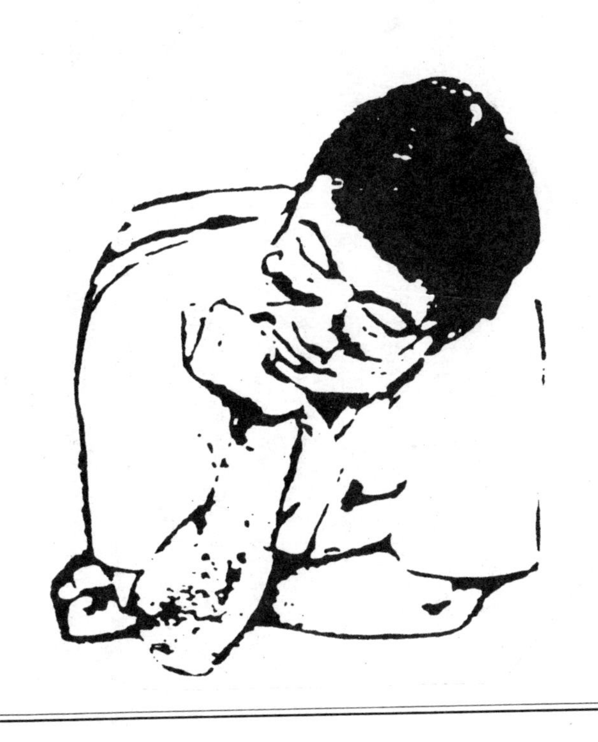

朱委員高正：今日報載，執政之中國國民黨業已舉行高階黨政會談，將爭議中之證券交易稅稅率敲定爲六‰。在行政院甫向本院提案，擬將證券交易稅稅率定爲六‰時，即遭到若干同仁刻意打壓，欲將之降爲三‰。此在立法院排除利益團體之影響上，顯現出應有的風骨。本席認爲將證交稅定爲六‰，不過爲本院革新之開端而已，另外行政院擬將證券交易手續費，改採彈性稅率徵收，將爲討論證交稅過程中有待革新的第一項。僅止如此，尚且不夠，各位同仁不要以爲將證交稅稅率定爲六‰，有關問題即告了結。明天財政部將就修正證交稅稅率問題至本院備詢，此正爲我們整頓證券市場的一大良機。基此，本席提議由院會決議，要求明天財政部郭部長就開放證券金融業務，及有關證券商繳納證券交易手續費之經手費用，是否將由現行一〇％降爲二％，提出補充報告。

國民黨壟斷證券金融業務

現在本席謹就以上提案說明如下：

按證券市場係由發行市場及流通市場所組成。目前在流通市場方面，由於違法之丙種墊款業務存在，以致問題重重。丙種墊款之所以普遍存在，主要係因國民黨黨營之復華證券金融公司壟斷證券金融業務所造成。現在本席謹就復華證券金融公司，壟斷證券金融業務所造成之問題，說明如下：

據本席了解，復華證券金融公司之資本額不過十二億五千萬元而已，然其融資額度每戶最高爲三百萬元；融券最高額度爲四十萬元。在股票市場中，大戶之進出額度動輒上千萬元，三百萬元之融資額度根本無濟於事。在此情況之下，證券商違法經營丙種墊款之情事即應運而生，導致不少糾紛。事實上，現行融資、融券比例，係按照證管會制定之表格而定，亦即當股市加權指數愈高時，證管會即將融資、融券比例調低，以抑制股價過度膨脹；若加權指數滑落，則證管會便適度提高融資、融券比例，以鼓勵買氣。由於融資、融券比例係根據固定表格而定，因此投資大衆可以把持預期心理從事股票買賣。在股票經營作業已步入正常軌道之國家中，融資、融券比例爲中央主管機關之籌碼，當股價暴漲時，政府可以調低融資比例，反之，則予以提高，以發揮調節證券市場之功能。然而我國由於丙種業務過於猖狂，以致問題叢生。

在座各位同仁中，可能有很多人不了解何謂融資、融券，本席簡單說明如下：

所謂融資，即某人若有三百萬元從事股票買賣，則原則上丙種可以提借三百萬元供其購買股票，此即所謂之融資。融資經常發生於股票上漲時，當投資人認爲值得買進，需要借錢時取得之借款；至於融券，則爲當投資人認爲現爲股票賣出之有利時機，而以現金向丙種借取股票而後賣出，以購取差價者，謂之融券。

現在由於丙種業務過於猖狂，以致在股價飛漲時，投資者可以借錢買進股票，如此一來造成更大之飆漲；反之，當股價下跌時，投資人可以以現金借得股票，而後賣出圖利，以減少損失，以致股市跌得更慘。可見丙種墊款業務爲今日股票暴漲、暴跌之主要原因。

「丙種墊款」干擾股市

今天，如果我們任由證管會特許復華證券金融公司壟斷證券金融市場，以其區區十二億五千萬元資本額，根本不敷證券市場之所需，在此情況之下，丙種業務當然會存在，而丙種墊款之存在，將造成丙種業務糾紛不斷，例如，某人向丙種借款購買股票，當股價下跌時，此人立即殺價賣出，造成斷頭，此舉對一般投資大衆，最爲不利。另外，丙種墊款業務最嚴重的情形就是兩頭對做；他一方面借錢給投資人買股票，另一方面又將投資人所押的股票轉借給他人賣出，兩頭對做的結果，使得股票市場漲跌幅度更爲變本加厲。因此，爲了使我國證券市場健全發展，將證交稅率調高至六‰，則只是一初步作爲。

本席在前幾天就曾談到，如果因爲技術問題，無法確實課徵證所稅，而將證交稅調至六‰，作爲短期之權宜措施，則本席可表支持，但就長期而言，證交稅屬於間接稅，而證所稅是直接稅，目前世界各國爲平均社會財富，照顧社會上之經濟弱者，基本上，是往擴大直接稅在整個稅收的比重，而減少間接稅的比重，現我們則正好背道而行，所以，此次證交稅的調整，若爲權宜政策，則可接受，但從長遠目標著眼，證所稅是一定要課徵的，否則，豈不太便宜了大戶、法人及公司。

這次爲了證交稅率的調整，弄得舉國喧騰，其肇因就在於證券市場的經營不當；而證券市場的經營不當，最大癥結就是來自丙種墊款業務的太過猖狂；我們都知道，丙種業務日息近七分，以單利計算，一個月爲二分利，一年利率複利則超過三○%，由於利率過高，使得借款人不得不儘量縮短借期，被迫加速股票之買賣；這種作爲等於變相鼓勵投資人從事短線操作。本席以爲，過去由於國民黨一黨獨大，特許復華公司從事融資業務，但現今復華公司已無法承擔股市對於證券金融的需求，在經濟自由化的壓力下，財政部證管會實在沒有理由不開放證券金融業務，讓綜合證券商或銀行來經營，當然，這又牽涉到目前銀行尚未民營化，因此，基於工作效率的考慮，綜合證券商應較爲合適。假若證管會能開放證券金融業務，則投資人所借得款項之利率與銀行利率相同，投資人就不必勉强從事短線操作，這對健全股市之發展，實有良好作用。

證券業人才充斥，扭曲社會資源

其次，證券交易所之證券交易經手費率爲一〇%，以今年台灣證券交易所的純收益七十億元爲例，依照規定，必須提撥二〇%的利潤分享員工，亦即有十四億元需分配給五百位員工作爲紅利，平均每位員工之年終獎金爲二百八十萬元；另就本席所知，台灣證券交易所的總經理每年之年終獎金高達一千萬元以上，這種現象合理嗎?今天，台灣證券交易所有著相當濃厚的公益色彩，因此，本席認爲財政部應審慎考慮下列兩種方案：

一、將證券交易經手費費率由現行一〇%降爲二%。

二、台灣證券交易所屬私人性質之公司組織，本席認爲應考慮開放爲會員制，由各合法之證券公司以會員身分加入。如此，才不致有圖利於少數人之嫌。

另外，本席也主張將證券交易手續費率由一・五‰降低至一‰，如此至少不會因爲證券營業員高達九十個月、一百二十個月的年終獎金，而將一流人才全部吸收過去，這是整個國家社會資源的嚴重扭曲。長此以往，需要優秀人才的地方找不到人才，而證券業充斥人才，但也無法適才適用，這真是國家的最大損失。

綜合言之，本席以上所言約可歸納爲以下三點：

一、對於六‰的證交稅，原則上可確定，但這只是權宜措施，基於中長期的考慮，屬於直接稅之證所稅的徵收，絕對不能廢除。

二、邀請財政部長就證管會應否開放證券金融業務，給一般證券商經營，作一說明。若尚不準備開放，則請郭部長說明：如何有效遏止丙種地下金融活動，及股市暴漲暴跌之惡風。

三、將證交所所收取之一〇%的證券交易經手費率，降低至二%，並將台灣證券交易所，由私人公司型態改組爲會員制度，各合法之證券公司爲當然之會員。爾後，經手費率的高低就可由這些會員自行討論議定，如此，才是合理的設計。

——《立法院公報》七八卷一〇〇期，一九八九年十二月十四日

給精神病患一個家

——「龍發堂」話題的省思

龍發堂自一九七一年成立迄今，是台灣社會發展的特有現象。這個現象告訴我們在致力於醫療現代化與專業化的過程中，必須兼顧現實的醫療條件，以免因浮而不實的立法，反而逼使求助無門的精神病患，連最後的棲身之所亦不可得。

本文乃朱高正於立法院審查「精神衛生法」時，與其他委員的政策辯論紀錄。他將龍發堂定位爲社會發展過程中的產物，本不宜斷然予以禁絕。朱高正更指出精神病與一般疾病有本質上的不同，對於病患及其家屬選擇治療方式的權利尤應予以尊重。

朱委員高正：觀諸第二十條條文，其中較具爭議性者爲第一項規定。誠如王委員金平所言，此項規定係針對龍發堂而來，對此，本席補提出以下淺見，供各位同仁參考：

自然療法不應受到排擠

龍發堂之所以成爲話題，不過是社會進步的一個過程。而正統精神醫療機構與非正統精神病患收容機構間的衝突，即如同建築師公會與土木包商業間的矛盾，以及合格正規醫師與赤腳醫師間的對立一般。過去二者之所以不成爲問題，係因爲過去合格醫師不似今日之多，因此乃任前者安然存在，現今在合格醫師人數達到某種程度之後，便引發出市場占有率的問題，可見此一問題，必須從社會發展的角度來加以觀照。

基本上，精神病應屬靈魂的領域，易言之，即靈魂受傷者謂之爲精神病患。在精神病學理中，並不將人視爲生物體，其中最重要者，爲如何維持其人格的完整、認同並維持其自尊。因此若將精神科醫師與內、外科等其他醫師等量齊觀，則是大錯特錯。根據美國有關調查顯示，精神科醫師自殺率爲各科醫師中最高者，而一旦精神科醫師罹患精神病，在其深諳精神醫學，知道如何迴避有關認定自己爲精神病者的測驗的情形下，其人必然無可救藥。可見精神病症，屬於人類靈魂自由領域內之疾病，因此在歐洲中世紀，人們認爲精神病患爲惡魔附身，時至今日，縱使自純科學的角度來看，仍然無法斷言此說不對。既然如此，每一個人都擁有天賦的基本人權，此人權當然包括擁有健康，以及自行選擇維護健康與治療方式的權利。政府如果禁止人民在正規醫療體系治療無效之餘，去嘗試其他醫療方式，並對嘗試其他醫療方式者，給予懲處，則這種政府無異是一暴力統治集團。

隔離病患反而加重病情

根據審查條文第三十四條規定：「嚴重病人送醫及强制住院期間之醫療費用，應由各級政府負擔。」又根據衛生署統計，我國精神病患約六萬人，嚴重精神病患約二萬人，既然在上述規定之下病患家屬猶不願將患者送醫，顯然其間問題重重。在此，本席要不客氣地指出，目前我國精神專業人才及機構，不惟嚴重缺乏，且分配不均，根本難以達到本法第二十一條第二項：「前項嚴重病人不接受全日住院治療時，應由二位以上專科醫師鑑定……。」之規定。自精神理論上而言，雖然精神科大夫，無不主張應關心精神病患，並應與之建立溝通關係，進而對其有所影響。但試問國內如此具有愛心與耐心的醫師有幾人？目前症狀嚴重的病人一旦被送往精神醫療機構，動輒便遭到隔離，以致病情愈來愈加嚴重。此即是國內精神病患寧願前往龍發堂，而不願前往精神醫療機構的原因。

日前本席在前往龍發堂，聆聽該堂收容人士所舉辦之演奏會後，感觸良深。事實上醫治靈魂疾病的最佳藥方爲禮、樂二端，由於前者有賴衆人完成，因此必須三人以上，各自扮演其應屬之角色，彼此互助完成一項工作，方能謂之爲禮。揆諸歐洲國家，其精神醫療機構多由教會開辦，因爲宗教界人士較有愛心。我國龍發堂亦然，該堂將收容的病患分組管理，分配其養豬、洗衣、煮飯等簡易的工作，期能藉由這些工作的完成，讓病患肯定自我，發展出與他人互動的模式，此種療法較將病人關閉於精神醫療機構，更具醫療效果。

龍發堂存在事實應予正視

基於上述理由，本席支持王委員金平所提修正案。雖然洪委員奇昌有其立場，不能有所退讓，且國內亦不宜有第二家以上的龍發堂存在，但任何事情都應有競爭存在，因此本席希望本院同仁視龍發堂的存在爲不得不予接受的事實，惟共同致力於使之納入適度的管制，譬如規定其所收容之病患必須經專業醫療機構治療無效者，這就達到適度管制的目的。

朱委員高正：關於第二十條，本席現謹提出以下淺見供各位參考：

病患有選擇醫療方式的權利

一、方才蔡委員璧煌提及所謂科學療法，殊不知就精神醫學而言，談論科學療法，實爲極不科學的見解。本席曾經說過，精神病係因靈魂受到傷害，精神科醫師，亦不可能將之視爲普通生物個體，否則永遠得不到療效。換言之，治療精神病最大的特色，乃是將人視爲一擁有精神及靈魂之主體，根據美國國家醫學會之統計資料顯示，各種專科醫師中自殺率最高者，就是精神科醫師，而精神科醫師一旦罹患精神病，其治癒率又是最低者，由此可見，精神病與一般疾病不同。

民國七十五年，高雄醫學院精神科的文榮光醫師，曾主持一個研究計畫，他特別於其中指出，我國精神病患求助行爲方式主要有四，分別包括民俗療法、西醫療法、漢醫療法及自家療法。而一般中下層民眾，最常使用的民俗療法，就是前往廟宇卜卦，或找乩童收驚，這實是因爲涉及靈魂，所以才仰賴宗教。據本席了解，即便在歐洲這種現象也十分常見，歐洲的精神科醫生，似乎不像台灣精神科醫生一般充滿自信。本席認爲如果大家於此，太過肯定國內精神科醫師的能力，恐怕有爲利益團體遊説之嫌。

須知，健康是每個人的基本人權，尤其在我們這個自由、民主、法治的立憲主義的國家中，更是以尊重個人意志自由爲前提，其中包括個人的自決權，亦即只要不侵犯他人，每個人均應享有自決權。而就精神醫療之層面觀之，所謂的自決權，包括醫療方式選擇的自決權，一般先進的歐洲國家均普遍採行此法，反觀我們這個不中不西的國家，在遺忘傳統之後，對西方產生盲目的崇拜，實是十分可恥的。試問誰能拍胸脯稱讚我們的精神衛生醫療機構？

民國七十九年十月二十二日聯合報刊載：桃園縣龜山鄉迴龍博愛精神病院，由於經費不足、設備簡陋，六、七十名精神病患過著悲慘的生活，吃飯好比吃餿水，各位想想，一個合法的精神衛生醫療機構，竟是如此這般「照顧」精神病患，其他的精神衛生醫療機構，又會好到哪裏去？

本席手上還有一份衛生署提供之統計資料：至民國七十七年十二月底爲止，我國依廣義解釋之精神科醫師，包括北區二十二位、中區四十四位、南區三十七位、東區三十七位、澎湖一位、台北市一百八十四位、高雄市六十四位，共計三百八十九位。換言之，我國具有精神科專科醫師考試及格，不論執業與否者，僅僅三百八十九位，如何能照顧一、兩萬人的精神病患？

方才洪委員奇昌表示，我們可以大力培植精神病專科醫師，對此本席不以爲然，因爲這不是一蹴可成之事，君不見三年前爲了因應解嚴之需，警力必須大量補充，結果由於所需人數太多，造成警員素質良莠不齊，進而導致最近問題頻頻發生。本席之所以以此爲例，旨在告訴各位，精神醫療環境，實應跟隨社會狀況，及生活品質之提高，而作改善，根本不可能一下大幅提升，更何況現今台灣醫師外移人數正在激增，因爲各行各業的醫師，似乎都在擔心醫療網建立之後，公立醫院、省立醫院、軍醫院及教學醫院，勢將瓜分所有的醫學資源。

二、事實上，除了我國精神專科醫生嚴重缺乏之外，精神病患住院未滿半年者有一千八百人，半年至一年者一千一百人，一年至三年者一千七百人，三年至五年者一千四百人，五年至十年者一千三百六十三人，十年以上者三千六百人，總計爲一萬一千人，但根據衛生署現有的資料，我國嚴重之精神病患，需要强制住院者，高達二萬人以上，至於未登錄者還不知有多少。由此觀之，可知我國精神衛生醫療機構之容量，大有問題。

三、以目前台灣精神病患住院之費用來源分析，可知社會救助高達五〇%，這無非是顯示貧、病總是惡性循環。其實本席之所以贊成王委員金平之見，於第二十條中加入「但經其保護人認爲無必要時不在此限」之但書，實是因爲如果不列此但書，則洪委員所謂：「龍發堂不致產生解散危機」之說詞，誠爲殺人不見血的手法，此話怎講呢？本法第四十一條規定「違反第二十條第一項……科五千元以上五萬元以下罰金……處六月以上五年以下有期徒刑。」，據此第二十條第一項若照案通過，無疑是宣判龍發堂必須立刻解散！各位想想，一旦如此，該堂現有之八百名精神病患，又將置身何處？這八百名精神病患，大都是求助精神病院無效，才被送往龍發堂，如果我們再迫使龍發堂關門，又要如何安置他們呢？

本席要在此提醒各位，本法第三十四條已二讀通過，依照該條「嚴重病人送醫及强制住院期間之醫療費用，應由中央政府負擔。」之規定，嚴重精神病患强制住院期間，根本不必花費分文，既然如此，畢竟誰都希望自己的親人儘快康復，尤其是在不必花錢的情況下，誰又會故意延誤親人的治療機會？再說，保護人若是不能克盡義務，依照規定，亦可更換保護人，大家實不應再爲此多作爭議！

以愛心照顧病患

總之，本席要特別强調，如果在不必花錢的情況下，大家還是不願去看西醫，這顯然是西醫療法不夠有效，基於爲政者的立場，倘能因此擴充醫療設備，提高每萬人中醫師的比率，那麼龍發堂勢必因無法承受競爭壓力而自然消失。須知，龍發堂可說是台灣社會發展中的附帶產物，不是說取消就能取消的，這點希望大家了解，不要只是空口說白話，高喊如何照顧精神病患！坦白說，我們對於絕大多數的精神病患，根本不具愛心，否則就不會動輒將之關閉隔離，殊不知精神病係屬靈魂上的疾病，他們最害怕的就是被隔離，因爲他們的自我認同感原已喪失，如果再加以隔離，不僅無法引開其注意力，更無法協助其人格正常發展。本席誠盼各位拿出良知，不要盡說好聽的話，而應以務實的觀點看待此事，支持王委員此一合情入理的修正意見，謝謝。

改善精神醫療品質

朱委員高正：方才洪委員的發言中，有關知識部分與本席看法並無牴觸，但其就現實層面所作的析論，卻缺乏說服力。任何懂得精神醫學者，均有一謙卑的共同認知，即科學的方法有其極限，人是上帝所創造、具有靈魂之生物，其生命中有一種祕不可知的部分，精神病患者即因該種祕不可知的部分發生問題，才會形成不正常現象。誠如洪委員所言，精神病患者，應施予社會科學及人文陶冶的方法，加以治療；但據本席了解，目前許多精神醫療機構，卻是以隔離方式對待嚴重精神病患，以致患者完全與正常社會生活脫節，有礙其認同自我、培養自尊與自信。洪委員說得很好，精神病患應該接受歌唱、跳舞等治療，但試問我們的精神病院何曾聽到清歌雅樂?可見洪委員所言根本是在說「故事」，只是在此轉述外國醫院應然的法則，此種治療方式在台灣根本不普遍。

以迴龍博愛精神病院而言，雖然不合格，却是合法院所。若事實如洪委員所言，院中病患豈會像豬一樣吃餿水?此一現象連土城地區居民都知道。此一醫療實況，相較於洪委員所描繪如世外桃源仙境般地療養院所，實令本席感到毛骨悚然。

洪委員對於國民黨政府，一向秉持批評態度，何以獨對此案表示贊成？過去國民黨一向話說得十分漂亮，現在何以洪委員也犯了相同的毛病？本席認爲惟一可能的解釋，就是洪委員在爲利益團體講話。

方才本席係引據七十八年十二月的資料表示全國精神科醫師人數爲三百八十九位，依照現在全國精神科醫師如洪委員所言已增加至四百八十一位，但其成長率卻不及二五％。根據衛生署書面統計資料顯示，目前全面有六萬名精神病患，其中嚴重病患爲二萬人，尚不包括未納入統計者；由於許多家庭不願讓外界知道家中有精神病患，亦有若干有精神病患之家庭，因生活水準過低，或居處偏僻，以致行政機關無法掌握、了解而未將其列入統計之中。在現代化的工業社會中，都市社會流動變遷加劇，精神病患更是日益增多，以二重疏洪道的搬遷而言，即製造了許多精神病患。易言之，在現代化工業社會中，精神病患的比例，係隨諸社會的成長，而相對增高，在此情況下，精神醫療人力的成長比例，與精神病患的成長比例相較，前者實在微不足道。

對第二十條，若增列「經其保護人認爲沒有必要時，不在此限。」規定，究竟會產生什麼顧慮？誠如洪委員所言，保護人係針對嚴重病患而設置，其設置之目的在於輔導病人就醫，並於病人就醫後協助其從事社區復健工作。如果保護人認爲沒有必要送醫，在法律上是要有足夠的理由，如果保護人執行保護職務有所偏頗，則可依本法已二讀通過的第十六條第一項第四款之規定：「……有其他情形足認其執行保護職務有偏頗之虞者」病人之親屬或利害關係人，得向法院申請另行選定保護人。所以，這根本不是問題。譬如在榮民之家，若負責人未將精神病患送相關醫療機構就醫，以致發生問題，則該負責人或保護人就應依本法第四十一條規定，科五千元以上五萬元以下罰金，所以，法律已規定得相當清楚，根本不必多慮！

另外，本席還要特別强調，本院已二讀通過的第三十四條中明文規定，嚴重病人送醫及强制住院期間之醫療費用，應由中央政府負擔。所以，依目前情況來看，一旦本法三讀通過，精神科醫師根本不怕沒有足夠的病患；但若連免費治療，患者都還不願到所謂的合法合格專業精神病院就醫，則精神病院本身之醫療水準、設備、醫師素質，實值得好好檢討。基此，本席認爲把王委員金平的增列意見「但經其保護人認爲無必要時，不在此限。」列入，對改善國內整體精神醫療狀況，不但沒有影響，反而有所助益。

況且，目前龍發堂收容有八百多名病患，而根據統計資料顯示，這八百多名患者，絕大多數都曾至專業精神醫療機構治療，但因治療無效，才被送至龍發堂，也才終於得到一安身立命之所；職是之故，我們立法怎可强制將精神病患，送至對其無效之精神醫療所呢？更何況精神醫療有其極限，即使採取所謂社會治療、談天、朗誦詩歌、聖經、誦經等活動，也不見得有效；因爲這涉及靈魂問題，不能將之視爲單純的生物醫療。

基於以上理由，本席支持王委員金平的意見，也希望各位委員能審愼考量；因爲實際精神醫療，並不如洪委員奇昌所言爲唱歌、跳舞一類的理想療法，迴龍博愛療養院的精神病患像豬一樣吃餿水，便是明顯的例子。從此實例亦看出，目前合法的精神病院，亦存在著諸多問題，按法律制定後，只要不符合現實需要，就可年年修訂，而非像過去是一、二十年才修訂一次。因此，我們在制定精神衛生法時，實不應對社會現實，作太多不必要的抨擊。本席和龍發堂非親非故，也無任何關係，因此，我的意見是最公道的；本席認爲王委員金平的意見可以支持，敬請各位同仁斟酌考量！謝謝！

——《立法院公報》七九卷八四、九二期，
一九九〇年十月十七日、一九九〇年十一月十七日

讓老農民也可以領到退休金

——進入關貿總協取消稻穀保證收購措施之後

台灣四十年來在經濟發展過程中，由於忽略了工業化所帶來的產業結構變化對農村社會的衝擊，導致今日農民所得偏低及農村勞動力老化的窘境。朱高正在本文中，痛陳政府視「稻穀保證收購措施」為照顧農民的萬靈丹，不僅對農民生活的改善及農業生產結構的調整無所助益，反而使農業問題愈趨嚴重。

事實上，朱高正早在一九八八年即已大力提倡「農民年金保險制度」，並蒙行政院農業委員會余主任委員玉賢於一九九〇年三月十七日在立法院第八十五會期之施政報告中，列為「農業綜合調整方案」的首要施政重點。孰料行政院郝院長就任後遽以政府財政拮据、農保虧損嚴重及農民資格認定困難三項理由決定暫緩實施。

朱高正認為，正值台灣即將加入「關稅暨貿易總協定」之際，政府實應儘速開辦「農民年金保險」，以有效解決農民平均年齡老化的問題，並落實「小地主、大佃農」制度，以圖根本調整農業結構，期使農民早日脫離貧困的苦境。

農民所得偏低，農業人口老化

過去四十年來，政府對農業的各項補貼約合新台幣一千億元，而對工商業的租稅優惠則高達八千二百億之鉅，這刻意「重工商，輕農業」的政策，長期下來導致農民的生活一直處於貧困的狀態。而經濟上缺乏規劃的快速工業化及盲目都市化，更造成農村青壯人口大量外流。勞動力的老化，益使農村文化及經濟生活水準難以提升。事實上，這正是我國致力於工業化的過程中，政府未能同時汲取工業先進國家的社會發展經驗，以因應產業結構改變所致。

一般而言，各國在工業化過程中，產業結構最大的變化即在農業就業人口比重的銳減。以我國農業就業人口占總就業人口之比重為例，在一九四九年為五二%，到一九八九年已降至一三%。而各工業先進國家中，日本農業人口占總就業人口的八%，德國為四%，英國為三·三%，而美國則為二·一%，可見原則上工業化的程度愈高，則農業就業人口的比重就愈低。國家在面臨工業化所帶來的產業結構變化時，其最重大的責任即在於，如何使農村由於機械化耕作技術的引進所釋放出來的勞動力得以順利地「在鄉轉業」。否則一旦這些勞動力在鄉村因缺乏足夠就業機會，勢必湧向都會區尋找生路，大量的外來人口將使都市原有的公共設施及建設計畫無法承受吸納，從而嚴重影響都市生活品質的改善。

台灣在經濟發展的過程中，正因爲忽略了工業化對農村社會的衝擊，而未能預先妥適規畫一套農業發展政策，終致今日的鄉村經濟凋敝、公共建設落後，而農家子弟被迫離鄉背井到大都市求學及就業的窘境。近年來，農民更在生活無法獲得保障、所得未見顯著增加的情況下，紛紛提出各種改革要求。其中，一向被政府視爲是改善農民生活萬靈丹的稻穀保證收購措施，多年來因保證收購價格未能與快速上漲的物價做同步的調整，於是要求大幅調高稻穀保證收購價格及增加保證收購數量乃成爲農民普遍而共同的心聲。而台灣省議會並已於上會期通過決議，建請中央政府俯順民意，儘速提高稻穀保證收購價格及數量。

勿使農業生產結構愈趨惡化

對此，筆者基於農業發展整體考量及農業結構全盤調整的觀點認爲，提高稻穀保證收購價格及數量固能解決農民長久以來的貧困飢渴於一時，但長期對於農民生活的改善及鄉村文化的重建，此舉無異是揠苗助長！以下筆者擬從兩方面說明之：

首先，筆者想先指出三種現象供讀者參考。第一，在四十年前一個成年人每日的飯量為十碗以上，而今天卻鮮有超過四碗者。第二，四十年前每甲田地每期若能收成四千六百斤（合四十石）的稻穀即屬良田，時至今日，由於「綠色革命」大量使用化學肥料及農藥，每甲田地收成一萬二千斤稻穀乃屬平常。第三，台灣稻穀生產成本每公斤約十六元，遠較進口美、泰兩國稻米每公斤九元高出甚多。第一及第二種現象指出台灣四十多年來，稻米消費量銳減而供給量則倍增的事實。此亦即目前稻米生產過剩，致無倉可存之根本原因。第三種現象指出，不符經濟效益之產品卻仍生產過剩，正說明保證收購措施扭曲市場價格機能所造成之矛盾。此亦為政府在十年前辦理國產雜糧保價收購，鼓勵稻田轉作之根本理由。因此，如果貿然提高稻穀保證收購價格及數量，勢必會使原已轉作雜糧的耕地回流種植稻穀。使得沈疴已久之稻米過剩問題治絲益棼。

其次，稻米對台灣而言係屬重要之基本民生物資，其價格的上漲極易帶動全面性的通貨膨脹。對於通貨膨脹，工商業界一般可以尋找在國外投資機會以降低成本或調高產品價格來反映成本做為因應之道；一般受薪階級，則可由薪資調整中獲得部分補償；至於一生死守一片田地辛苦耕耘的農民們，既無力調高稻米售價，又難以降低生產成本，註定是通貨膨脹下最大的受害者。

因此，調高稻穀保證收購價格及數量，無論對整體農業生產結構的調整或農民生活的改善，都是無濟於事的。何況，我國爲落實經濟發展國際化的政策目標，以提升國際競爭能力，現正亟力爭取加入諸如GATT等重要國際組織，而對於農產品直接的價格補貼又往往成爲加入該等組織最大的障礙，可見調高稻穀保證收購價格及數量絕非長久之計。

以社會政策取代直接價格補貼

反觀西歐各國，在爭取加入GATT之初，即已擬妥各項兼顧農業發展與保障農民生活的政策，其特色在於不再由經濟上對農產品做直接價格補貼，而是透過社會政策的運作來減輕農民的生活成本及固定開支。例如：農作物天然災害保險費用、農民健康保險及農民年金保險費用及農民子女教育費用等皆由國家予以補助或負擔。如此一來，既不會予人有高築貿易壁壘之印象，又能真正妥善照顧到農民的生活。

有鑑於西歐各國農業發展的經驗，筆者認爲，針對台灣農業的現況，要真正有效調整台灣的農業結構並改善農民的生活，治本之道應儘速實施農民年金保險制度，以大幅降低農民平均年齡，並落實「小地主、大佃農」制度，以圖根本改善農業結構，並大幅提高農民所得。

「小地主，大佃農」才能根本解決農民困境

在四十多年前，擁有農地的地主多較爲富有，而受雇於地主從事農事幫傭者則屬赤貧階級。然時至今日，擁有一甲田地的農民，平均每一期（約六個月）每公頃生產作物之所得約僅二千至六千元，而一位擁有耕耘機，協助農民從事播種、收割等農事的受雇者，一天即可賺到三、四千元。以上的例子正暗示著一個「小地主、大佃農」的新農業時代已悄悄來臨。

事實上，在過去使用人力和牛車的年代，一家五口照料一甲田地仍往往弄得全家人仰馬翻。反觀今日，由於農耕機械的發達，一甲田地的農事經常只須耕種一天便可休息三天，農民尚須利用空閒時間兼差以貼補家用。由此可見，台灣現代農村存在許多隱藏性失業的問題，亦即由於平均耕地面積過小（不到一公頃），致許多農業勞動力因無地可耕而閒置，復因過小的耕地，其作物收成之所得根本不足以養

家活口，從而無法吸引年輕一代的投入，農業勞動力隨之益加老化。

據估計，至本世紀結束前，台灣農業就業人口比重將降至八％，在面臨農業勞動力老化的情況下，如果政府還不採取行動，鼓勵新一代青年運用進步的農耕機械投入農業生產行列，則居時台灣整個農業生產結構都將亮起紅燈。因此，「小地主，大佃農」的構想，就是要透過國家政策的制定，一方面讓擁有土地的農民在居齡退休時放心地交出土地經營權，另一方面讓有志投身農業生產行列的青年能以低租取得較大面積農地耕作。

進一步言，國家藉由農民年金保險制度的實施，使擁有土地之老農在請領退休金後安心離農，其土地可交由子女或有意承租者繼續耕作，或將經營權委由國家代爲出租，亦可直接將土地所有權出售。另一方面，對有心從事農事工作的青年，國家經由租金補貼措施，協助其以低租金承租較大面積農地耕作，成爲一個「大佃農」。

據筆者調查，一對年輕夫妻操作新的農耕機械，耕作五公頃的田地應是駕輕就熟。而耕作五公頃的田地，每月所得可達新台幣五萬元以上，再配合其他的福利措施，將使農業成爲極具吸引力之行業。由此可知，「小地主、大佃農」制度的建立，正是培養自食其力的新農民階級，期使農民早日脫離貧困的苦境。

以農民年金制度調整農業勞動力結構

至於，農民年金保險制度的設計，係由農民於從事農事生產期間，每月繳交定額之年金保險費用，凡已繳滿十五年以上，並年滿六十五歲者即可申請退休；若已滿五十五歲並能提出不適農事生產之證明，亦得申請提前退休。退休後之農民，若有配偶則每月可領回原月繳保費六倍之退休年金；若無配偶則可支領四倍。此外，若投保超過十五年，則每多繳保費一年，退休後每月退休年金可多支領原最低月退休金的三％。茲舉例說明如下：

㈠一農民自二十歲起，每月繳交一千元之年金保險費，到他六十五歲申請退休後，若配偶仍健在，則他每月可領回之退休金爲：

＄1,000×6（倍）＝＄6,000（最低月退休金）→(A)

3％×（65－20－15）×＄6,000＝＄5,400

（投保超過十五年，每月可多支領的金額）→(B)

(A)+(B)＝＄11,400（每月退休金）

㈡若老農不幸在八十歲時去世，則其配偶以後每月仍可領到之退休金爲：

$1,000×4（倍）＝$4,000→(A)

3%×（65－20－15）×$4,000＝$3,600→(B)

(A)+(B)＝$7,600

農民年金保險制度係於一九五七年在德國首次採用，三十五年來成績斐然，而由於本制度帶有極濃厚保障社會弱勢團體的色彩，故農民每月所繳交之保費，依例由政府補助，以目前德國的法律規定，政府須負擔保費的八〇%，亦即前例中農民每月繳交一千元的保費，實際上投保農民本身每月僅負擔二百元的保費。

實施農民年金保險制度最大的意義在於保障低所得的老農、小農及佃農退休後的生活。同時，由於月退休金的保障，讓老農能放心退休離農，進而農地可由年輕一代接手做更有效的開發耕作。因此，無論是對農民生活上的保障，或是就整體農業勞動力結構的調整而言，農民年金保險制度都將有莫大之貢獻。

先試辦，俾早日全面實施

有關農民年金保險制度，筆者亟力提倡已近四年，蒙農委會余主任委員玉賢於民國七十九年三月十七日在立法院第八十五會期之施政報告中，列爲「農業綜合調整方案」首要施政重點。孰料郝院長就任後，遽以政府財政拮据、農保虧損嚴重及農民資格認定困難三項理由，決定暫緩實施。對此，筆者認爲，以當前台灣正積極申請加入GATT而將取消稻穀保證收購措施之際，儘早實施農民年金保險制度乃是刻不容緩之事。筆者建議，在開辦之初，應可從農業人口比重最高、人口外流及老化情形最嚴重的雲林縣先行試辦。

總之，台灣過去由於政策的偏差，而忽視了對農民的照顧。平心而論，四十多年來農民默默耕耘，他們對台灣經濟發展的貢獻，絕對可比美當年英勇捍衛國土的老兵，政府在對老兵家庭從優撫卹的同時，實不應對老農的生活不聞不問。今天，台灣正朝國際化一步步邁進，農民在面對國際化所帶來的競爭時，將更無力招架。因此，如何在此台灣經濟急劇轉型的時刻，預做妥適之農業發展政策規劃，正是全國上下所應共同深思的。

——《台灣時報》一九九二年九月二十日

社會福利首重老人福利

——從建立「農民退休年金制度」做起

一九九二年底二屆立委選舉，朱高正首要政見乃「農民年金制度」。本文係朱高正向郝柏村院長所提出的說帖，刊載於一九九三年元月六日《聯合報》第六版，次日郝院長於行政院院會正式指示農委會限期研擬。隨後不久，在朱高正要求下，李登輝總統兩度表示支持該制，並保證該制將不會因內閣異動而受影響。這是朱高正繼一九九〇年全額補助農田水利會費後，又一次造福全台一百五十萬農民石破天驚的貢獻。

從西歐過去一百多年的歷史來看，社會安全制度的建立始終與工業化的推展形影相隨，工業化程度愈高，社會安全制度亦愈趨周密完善。因此「社會法」應運而生、國家透過制定法律、建立制度，使所得分配更爲公平，以提供國民足夠的社會保障。近三十年來，台灣急遽工業化，已不再是傳統的農業社會，亟須建立一套完善的社會安全制度，扶助經濟上與社會上的弱者，以實現社會正義。

我們迫切需要有重點、有焦點的社會福利政策

但時至今日，國民黨政府的施政仍一本經濟掛帥的原則，社會福利僅侷限在照顧軍公教人員，對於一般國民卻幾乎無社會福利可言。社會福利資源的分配不當，社會安全制度的扭曲與不足，已使得社會問題層出不窮，成爲台灣富裕表象背後的一大隱憂。

我們現在迫切需要有重點、有焦點的「社會福利」，才能符合更宏觀的政策目標。筆者以爲當今社會應首重老人福利，現今台灣六十五歲以上的老人均身經戰亂，辛勤工作一輩子，對台灣經濟發展有不可磨滅的貢獻。然而他們現今已無工作能力，此時國家亟須建立老人福利制度，回饋他們的犧牲與奉獻。若能建立完善的

老人社會制度亦能使老年人的下一代減輕家計負擔，充實自己的荷包，增強消費能力，並活絡經濟。同時讓就業者充份體認到，只要好好工作，便不必爲退休後的生活煩惱，這對於社會的安定與和諧也有非常積極與正面的功能。

老人福利首重農民年金制度

在老人福利中最重要的莫過於建立「農民退休年金制度」。台灣六十五歲以上的老年人有一半以上是農民，若能儘早實施「農民退休年金制度」，則一半以上的老年人即可獲得妥適的照顧。而且在台灣即將加入ＧＡＴＴ之際，實有必要汲取西歐經驗，透過社會政策的施行來減輕農民的生活成本。何況「農民退休年金制度」又能有效調整台灣農業結構，大幅降低從農平均年齡，並擴展專業農戶耕作規模。現在筆者擬從三個角度來論述「農民退休年金制度」的實施絕非困難之舉。

首先，執政當局常表示先進國家之所以有完善的社會安全制度，乃肇因於其國民所得較我國爲高，然而事實並非如此。日本在一九七一年實施農民退休年金制度時，其國民平均所得還不到二千美元，而率先於一九五七年實施此制度的西德，當時國民年平均所得也還不到八百美元。反觀台灣國民年平均所得已突破一萬美元，豈有「無能力」實施「農民退休年金制度」之理！

其次，過去四十年來，政府對工商業的租稅優惠，高達新台幣八千二百億元；然而對農業的各項補貼則不及一千二百億元。而「農民退休年金制度」的實施一年僅需約一百億元的經費，以過去政府對工商業每年平均高達二百億元以上的補貼，對農業的補助卻不到三十億元，現在要求每年以一百億元開辦「農民退休年金制度」非但不過份，毋寧是合理而切實可行的。

錢從哪裏來？

最後，我國目前的社會安全支出佔總預算百分之二十一，然而其中百分之九十以上均用以照顧軍公教人員。在不增加社會安全支出佔總預算的比例與不影響軍公教人員現行福利的情況下，「農民退休年金制度」亦能施行無礙。因爲我國中央政府總預算每年成長約百分之八，現行中央政府總預算約一兆元，下年度將增加預算八百億元。僅將所增加預算的百分之二十一（原來的社會安全支出比例），即一百六十八億元，用來辦理「農民退休年金制度」即已綽綽有餘。

社會安全制度乃是人性尊嚴的彰顯，更是「社會連帶」的實踐，有工作能力者要照顧無工作能力者，青、壯年人要照顧老年人。在今日我國唯有透過有方向、有重點的努力，逐步建立社會安全制度，才能使全民的生活有保障，而老人福利正是目前所應戮力以赴的，而「農民退休年金制度」更是最基本且最有效落實老人福利的制度。因此，全民福利勢必先從實施「農民退休年金制度」做起，欲建立全面性的社會安全制度，也必從施行「農民退休年金制度」著手。

——《聯合報》一九九三年元月六日

提高所得稅寬減額　延誤社會安全制度

——評所得稅法修正風波

近幾年來，隨着民主化的推行，「民意」對政策的影響力愈來愈大。而這裡所謂「民意」，往往並非全民的民意，而是有錢、有閒與知識階級的民意。致中低所得階級的聲音常淹沒在資訊泛濫的洪流中，顯得無助與無奈。所得稅寬減額的一再盲目提高，就是最佳的例證。但在立法院內，立法委員們一面倒地迎合「選民」意見時，惟朱高正獨排衆議，言人所不敢言。

任何良好而合理的財稅政策，最重要的意義在於使國民財富所得能重新分配，以實現社會正義。

元月六日，立法院財政委員會通過決議修改所得稅法，在所得稅法草案中，鉅幅提高了所得稅標準扣除額、薪資所得特別扣除額、殘障扣除額，並增列老人特別扣除額。此種作法引起各界議論紛紛，財政部並針對此案表達將在院會中策動翻案的立場。而立法委員們，在民意的掩蔽下，大多一面倒地支持提高所得稅扣除額。

國家利益與社會正義應予維護

對此問題，筆者認爲，身爲民意代表，固然要爲民衆講話（甚至偶爾也要爲特定階層代言），但是必須基於不違反國家整體利益及社會正義的原則。從此事件可以預見台灣在走上民主化的過程中，諸如此類不務正業、討好民衆的事件將層出不窮，立委們的言論議政將不考慮國家整體利益與社會正義，而只顧及個人的選民壓力。

另外，在此次所得稅法修正風波中，凸顯了一個極其弔詭的現象，原本應妥善照顧的低收入戶並未在減稅中獲益，而獲利最大者卻是中高所得者。以致於立法委員不敢出面反對，怕因此得罪中高所得的選民。舉四口之家爲例，依現行稅制，夫妻雙薪月入二萬七千八百七十五元以下，免繳所得稅。在新制中月入四萬三千二百九十二元免繳所得稅。分別比較月入二萬五千元、四萬元、八萬元、十萬元在兩制中的稅款，可知新制中獲利最高的是中高所得的白領階層：

每戶月收入	原制應繳稅款	新制應繳稅款	少繳稅款
二五、〇〇〇	〇	〇	〇
四〇、〇〇〇	八、七三〇	〇	八、七三〇
八〇、〇〇〇	六〇、三一五	三六、二六五	二四、〇五〇
一〇〇、〇〇〇	九六、七五五	六七、四六五	二九、二九〇

單位：元

而原來月入二萬五的低收入戶採新制仍然免稅，而月入十萬的中高所得卻可獲近三萬元的邊際利益。新制對低收入戶的不公平，由此更加顯而易見。

提高寬減額對中低所得不公平

此外，根據這個扣除額的標準，國庫每年將短少五百億元稅收，面對即將陸續開辦的全民健保，及其他社會福利，入不敷出的財政窘況，勢必要另行籌措財源，方法不外是：第一、提高間接稅比重，即提高關稅、貨物稅、印花稅、營業稅的稅率。事實上，間接稅稅率愈高、對中低所得愈不利；第二、發行公債，但是政府爲了促銷公債必定以高於銀行和郵局的優惠利息爲手段，將來政府也只能從正常稅收中編製預算來償還本息。另外，公債的優惠利息也只能使有閒錢的中高所得者獨享，對低所得者形成雙重的不公平現象。

現在提高殘障特別扣除額，增列老人特別扣除額，如同軍公教人員領取實物代金一樣，並未直接交給父母，此扣除額只是圖利家有老人、殘障者的納稅人，並未直接施惠於老年人和殘障者。

而且，大幅提高免稅額實際上是大開倒車的舉動，在工業化的社會中，傳統大家庭迅速瓦解，被小家庭制度所取代。傳統大家庭分擔風險、互通有無的功能已不復存在，因此急須建立一套能發揮分擔風險互通有無功能的社會安全制度，以維持社會的和諧與安定。

到底要不要社會安全制度？

然而，要建立一套健全的社會安全制度，需要靠合理的財稅制度來支撐。現在大幅提高所得稅寬減額，不僅變成生活風險倒退到仍由個人負擔，連老人、殘障者、低收入戶也無法在此修正案中得到應有的直接的照顧。而此舉使稅基嚴重腐蝕，更加無法從事規劃老人與殘障福利制度。除了使貧富差距更加惡化之外，社會安全制度的建立更是遙遙無期。

有人認爲，受薪階級無法逃漏稅，反之，工商業者或生意人卻視之爲常態，因此主張提高所得稅的寬減額，以嘉惠受薪階級，這實在是似是而非之論。對於工商業者的逃漏稅問題，筆者主張政府應坦率地檢討營利事業所得稅制是否有當，是否有重覆課稅的問題。同時並加强稽查逃漏稅，貫徹稅負公平的理想，受薪階級也不會心生不平。如此一來，不僅可以增加稅收，也有經費建立社會安全制度，有了健全的社會安全制度，民衆的生活就能獲得充分保障，民衆的生活有了充分的保障，也將會提高羣衆的納稅意願。

為了建立健全的社會安全制度，本人堅決反對此所得稅法的修正，這對於自己的處境顯然不利。因為在立委們一面倒地討好羣衆，支持提高寬減額的浪潮下，沒有人甘冒得罪選民之大不韙，而本人卻為爭取低所得者之權益不惜大加撻伐此案，消息見諸報端，閱報者多為中高所得者，大部份低所得者或忙於工作無暇閱報，或因識字不多無法閱報，未必知曉本人一片苦心孤詣。雖然如此，本人仍舊堅持社會民主的理念，言所當言，庶幾不負選民「理性的肯定」與「正義的支持」。

——《中國時報》一九九三年一月十二日

損下益上　健保不保

——全民健保社會公平性的質疑

全民健保的成敗關乎社會安全制度的完善與否、然而主事者未能善盡規劃之責，立法者又爲既得利益爭相殺價，使得保費分攤比例淪爲數字遊戲。本文原爲新黨黨團對此案所提之聯合質詢稿，由朱高正主筆，文中的訴求延續作者照顧弱勢族羣、維護社會公平正義的一貫立場。

針對開辦在即的全民健康保險，吾人以爲其非但不能提供完整周延之醫療福利，妥善照顧中低所得的小老百姓，反而公然圖利高所得者，使得原本立意良善的社會保障功能盡喪。其實全民健保乃社會安全制度的礎石，其設計應建立在「社會連帶」與「跨代契約」的基礎上，即社會中各個成員之間與各個團體之間皆互爲環節、禍福與共。唯有團結互助，共同分攤生活風險，讓位居社經强勢的世代與族羣分攤照顧老弱貧病的責任，才能建立起跨代互助的契約，保障全體國民之生存尊嚴。然而行政院所規劃的全民健保制度，顯然一味獨厚高所得者，卻對社會中亟需扶助之勞工、農民極盡剝削之能事。

以受雇於固定雇主之勞工爲例，其所應分擔之保額由原勞保的二成驟增百分之五十爲三成，而雇主方面反而由原先之八成減輕百分之二十五爲六成，其餘一成則由政府補貼。在貧富差距日益惡化的今天，如此增加勞工負擔，又拿國庫的錢去貼補資方，將使資方成爲全民健保開辦後之唯一獲利者。

至於辛勤耕耘的農民，依健保保額分級表，被列爲第五級，投保金額一律以每月一萬六千五百元計算。然而即使依農委會八十三年度所提供之官方數據，農民個人平均月入爲一萬一千九百一十元。今若以最低保額，亦即勞工基本薪資一萬四千零一十元計之，對農民都嫌太苛，健保單位竟任意以高保額相逼，公平何在？況且每一農戶平均爲四點八五人，才擁有零點七八公頃的農地，每月合入五千元不到，再扣除耕作期間所投注之雜費與勞力，實無利可圖；財政部多年來即將農民所得核定爲零所得。而主管官署昧於農村破落之事實，一再謬引數據，是今日農政沈疴之因。吾人以爲對於低收入農民健保費用，政府應予以全額補助。

儘管對勞工與農民極盡苛刻之能事，新的健保制度卻又對高官鉅賈錦上添花。按原公保，政務官、上將與中央民代的月投保額爲新台幣六萬九千四百元，總統、副總統的月投保額爲新台幣三十九萬七千八百元。今則不論其收入多高，投保最高額一律定爲五萬八千元，僅爲最低投保額之三點八五倍，尚不及台灣地區八十二年度家庭可支配所得之貧富比五點四二倍。然而同年日本之家庭可支配所得貧富比僅爲四點六倍，較我國爲低，其健保保額分級之高低比卻達十倍以上。其他國家對保額之高低比也多有明文規定，如英國即定在七點五倍。其實在健保制度行之有年的西方國家，近年來有鑑於被保險人的薪資所得始終趕不上醫療費用的上漲率，各國現漸傾向於取消投保金額之上限，而依被保險人的實際所得來定保費額度。

綜上所述，政府若仍固執原案，一意孤行，使全民健保無法發揮財富重分配與社會連帶的功能，則將貧者愈貧、富者愈富，加劇社會矛盾，破壞政治和諧。唯有懸崖勒馬，徹底檢討，全民健保的實施才能爲我國社會安全制度奠定基石。

——一九九五年一月

對話錄

兩把野火　燒遍台灣

——龍應台、朱高正精彩對談

龍應台是文化界的野火，朱高正是政壇的野火。這兩把野火，都在台灣造成了燎原之勢。有人讚美他們勇敢執著；有人責罵他們洪水猛獸；但他們怎麼看自己？怎樣看對方？他們對台灣政治、社會、文化的許多問題，有什麼看法？一九八七年兩把野火對談，談出了什麼內容呢？

他們是燒遍台灣的兩把野火。

一位是外表纖弱，觀察敏銳，文筆鋒利，深具社會政治文化透視力的評論家；一位是身材健壯，兼具政治改革熱情和深刻哲學思維，自信滿滿的反對黨國會議員。

龍應台和朱高正兩人都善於表達自己的思想，他們都是甚受歡迎的演説家。但是兩人的方式、態度和氣質卻大大不同。龍應台分析清楚，對社會各種習見的現象，都能找到背後令人反省的問題，説服力很強。朱高正則滔滔不絕，把政治問題和他的哲學素養交雜在一起，長江大河般的下來，令人難以抵擋。

在長達三個小時的對談中，從小時候回憶、個性缺點、人生哲學、個人形象和知名度所帶來的壓力，談到台灣意識、社會福利、兩岸探親、學生運動、東方瑞士和德國統一，無所不談。兩人時而哈哈大笑，時而針鋒相對，絕無冷場。

兩把野火對燒，當然精采。

本刊：自從《野火集》出版以來，許多人用「龍應台旋風」或「龍應台現象」來形容妳的影響力，妳對自己今天能成爲這樣一個有影響力的人物，有什麼特別的感想？

龍應台：有什麼感想啊？（停了一下）一個最大的感想是，讀者對我的期盼和信任這麼大，甚至，有人說是「崇拜」，這表示我們這個社會整體還不夠成熟。如果是一個本來就很開放，資訊很充足的社會，人從小一路下來就有獨立思考的訓練的話，龍應台這個人就不可能這麼突出；那就是說，這個社會各個角落、各個行業，應該都有龍應台這樣的角色存在。所以我之所以突出，不是我個人知道得比較多，或特別有什麼魅力，而是我們社會由於四十年來，各方面、各種形式的壓制，而造成整體民智的成熟度不夠的結果。

本刊：妳雖有這麼大的影響力，但相對來講，妳的壓力一定也很大。也就是說妳會因此而常想到如果做些什麼，或都不做些什麼，妳的讀者會有什麼樣反應的這種問題，在這種情形下，妳的心情是怎樣的？

自持不夠將受制讀者

龍應台：我覺得一個自持力不夠的作家，很容易變成讀者的寵物，受制於讀者。尤其是一個作家成名之後，他會發覺他對讀者有一種「形象」存在，讀者喜歡他就是因爲那種形象。在那個階段，他就會希望以後的文章都會符合於那樣的形象，以保持他的魅力存在。

我自己非常深切的感覺到這個誘惑。但是另一方面，我想我不是那種一出名就昏了頭的人。我覺得這是一個陷阱，如果我一直在批判和抵抗的是各種束縛人的力量的話，事實上，讀者的期待與形象也是一個不容易察覺卻更大的束縛。所以，我一直在提醒自己要抗拒，抗拒那種形象的束縛。要做到這種地方並不容易，所以最後我決定不再寫《野火》那樣的東西，即使讀者、輿論界、文化界要求我一定要繼續寫下去，但我自己知道，我在歐洲那樣的環境裡是不可能再寫好像《野火》那樣的東西。我自己要成長，不能夠停在討讀者喜歡的那個階段。

本刊：朱高正，談談你吧。你當時有沒有想到會成為目前台灣政治這麼有影響力的人物？

朱高正：我一直認爲我是很有影響力的，問題是在我想不想要有？哪個時候要有？其實，我在高中的時候就很有影響力。在高中時，在大學時，我都曾經活躍過，短短的二個月左右，我把台大所有的社團都納入我們的一個小團體內。我有時候常常有那種感覺，我好像一個地震的震源一樣……。

龍應台：一個什麼？

朱高正：一個地震的震源啦。當我發憤要達到什麼的時候，我這輩子的經驗裏面，都可以很順利的完成我自己所設定的目標，所以說我這一輩子喜歡冒險。我向來就喜歡冒險，就好比高中時，我是讀自然組的，但是臨時改考社會組；明明是法律系畢業的，想要去美國留學，但是因爲師長的鼓勵，花了九個禮拜的時間，把德文弄好，就去德國留學，而且是學哲學。

一向重視主觀意志

基本上，我覺得環境對我的束縛好像是很小、很小的，我一向重視主觀意志，我一直在培養自己的主觀意志，很堅强的主觀意志，甚至我常常會找苦來吃。比如說我可以喝醉酒，然後跑十公里，我用這樣來磨鍊自己。今天我所做所爲和所產生的影響力，在我看來不是很意外，但我不認爲我的影響是在政治方面的，我是很瞧不起政治的！根本上，我的志業是在千秋大業，這是我去學哲學的主因。

本刊：那麼你怎麼闖進政界呢？

朱高正：在我要回國的前一年，那時候我父親過世，我回來了短短的兩個禮拜。那時候我就發現台灣已經在變了，已經達到非變不可的地步了。回到德國後，我對我太太說我對台灣的發展抱著非常樂觀的態度。爲什麼呢?因爲我發現，最保守的鐵路局都已經被逼得不得不求變了。那時候我搭車從台北回南部，發現竟有所謂莒興號（按：莒光號與復興號車廂的混合列車），這是第一點。第二點呢，它竟然還有一種早上七點從台北站出發，只停台中、台南、然後就到高雄，只要四個小時就到高雄，除了莒興號，還有早餐，現在講起來，應該是一九八三年。

下層建設開始改變

我認爲，這種非政治層面的問題，是最值得注意的，也就是說整個下層建築已經開始在動了。弄到最後，連鐵路局這種最保守的單位，在沒有壓力的情形下，它都不得不來推銷自己，改善經營方式。我認爲，假使連這個都這樣的話，其他的就更不用說了。後來我又發現連文化基本教材也在改了某一部份之後，其至還受到嚴厲的批判。我就在想，這在過去是未曾有過的，所以那時候我相信，台灣已經面臨到了使用突顯的方式來促使大家意識到問題的存在，來推動全面的變革。所以說，在這一點上，我那個時候是很樂觀的。

本刊：讓我們把題目拉回來，你對自己的形象有何看法，有人稱呼你是「藍波」，也有人不斷的批評你、罵你，你對這些褒貶作何感想？

朱高正：社會對我的反應是毀譽參半，所以我算是很富爭議性的人物。現在提到說保持形象的問題，這在我身上也是有的。我是比較注意自己的價值標準的人。所以說，你欣賞的我，那個人未必就是真正的我，舉個例子，有些人欣賞我跳到桌子上去踢、去跳，至於我爲什麼跳到桌子上去踢？他並不知道，只知道這樣就是好，對這樣的人，雖然他支持我，可是我卻不願意他支持我，因爲我不是這樣的人啊！

你欣賞的我未必是眞我

我是一個篤於自信的人，有我一貫的思路與自己所堅持的價值體系。我很同意龍應台所講的，要隨時保持自我批判。因爲，如果從另外一個角度來講，像我們影響了社會，到最後又被社會的期待來決定了我們以後的走向，那時可能被制約了。如果我們是受到社會走向而被制約的人的話，那麼一開始我們就不可能有影響力了。我們是在做一些突破性的工作，這種工作需要非常人的勇氣，這種勇氣雖然得到很多人强烈的迴響，但是畢竟是寂寞的，而且一定是很寂寞的。

龍應台：你剛才講出這些話，讓我有個深刻的感覺。不久前，我去聽老兵自謀生存委員會的一個演講會，聽到了一些人的演講。發覺他們搞政治的人的演講，跟我這種文化人的演講是完全兩回事，他們的演講完全是一種表演，要有强烈的煽動性，而且也需要自我膨脹，要說我怎麼怎樣，然後要下面一呼百應。

投入政壇帶來新氣象

搞政治的需要這種東西，我不曉得你是怎樣看待這個陷阱。你既然從政就需要某種程度的表演技術，所以不得不作某種程度的自我膨脹，一出場就必須戴上面對羣衆的「面具」，但面具戴久了的人，久而久之，很可能跟面具混在一起而忘掉了本來面目。

朱高正：你所講的這問題，不會發生在我的身上。當初從政時，我跟我老婆說過，如果我參與攻治，隨波逐流，那樣的話，在台灣政壇上多一個這種人，少一個這種人，都是一樣的。但是，不管說我是不是在這裡面混出一個名堂，只要我踏入政治的時候，我已經抹煞掉一個哲學家朱高正了，那這樣我的犧牲就更大了。我希望我參與政治，能夠爲台灣這個政治帶來一點清新的氣息，對這一點，我很堅持自己的原則，這從我當選至今，已經有九個月了，相信這一點我仰無愧於天，俯不怍於地。

哲學家從政可有矛盾

我可以跟你講，我的煽動的話也是很厲害。但是，我相信我從來對羣衆是很尊重的，表演在我這一輩子裡面是沒有的，舉個例子，到現在爲止，我還沒有請過記者吃飯，都是記者請我吃飯。有很多地方我是可以不必去得罪人家，但我是個很容易得罪人家的人，説實在啦，我可以在台灣這個政治舞台出現，本身實在是很荒謬的一件事。

龍應台：你自稱是一個哲學家，但你有沒有考慮到哲學家跟一個從政者在基本上是有矛盾的？

朱高正：康德在《論永久和平》這本書後面，有一篇附錄寫得非常好，他第一段是論政治與法律的不協調處；然後第二篇論政治與法律的必然協調。他説，從事政治一定是在法的規範之下，相反的，法，絕不是單純的政治勢力角逐之下的產物，如果是那樣的話，就完了，那就不是人的社會，變成是禽獸的社會了。

龍應台：你還是沒有回答我的問題。因爲就哲學的角度，你來看自己的話，你會瞭解到，自己是整個宇宙裏非常渺小的一個人。

朱高正：這是某些哲學家的看法。就我從哲學家的觀點來看的，就我所學的經驗裏面，而且這個經驗在我生活的實踐裏面，是那麼樣的實在。像黑格爾的哲學認爲，一整部人類歷史是絕對精神無限的開展。

龍應台：所以你覺得你個人是很「偉大」的？

朱高正：不是個人很偉大，我根本沒有個人。我個人，你也一樣，只不過是要實現理性自主的一個工具，人只有在這裏面對理性有所參與，就好比是柏拉圖的參與理論一樣，你分享了理性，你才有尊嚴，因爲你有了理性，所以才有自由。什麼叫做自由？你自己曾寫過一篇文章〈可以說不的自由〉，難道你忘了？人是什麼？人就是能夠說「不」啦！

我不是故意作秀

所以說，自由是存在於想像裏，構想裏，幻想裏的。人不只是活在現實裏，而也是活在期待裏面、回憶裏面。對過去不斷的反省，可以對未來有一個規劃。在做現實的決定時，絕對不是單純的機械式的反應。我說這個能力就是理性的能力，用康德來講，就是「構想力」。

龍應台：不要扯遠了話題。你說你沒有面具，你不做那種方式的演講，那你還競選什麼呢？

朱高正：哪種方式的演講？

龍應台：訴諸羣衆的情緒，就是那種「秀」，你非要不可，那是你從政的必要條件之一。

朱高正：不，很多人都認爲。……

龍應台：朱高正，你搞懂我的問題沒有？

朱高正：我就是不同意你的看法。

龍應台：你認爲兩者之間沒有衝突？

朱高正：我告訴你，我不是故意作秀，我本來就是表情很多的（衆笑）。你去看我家的老二……

龍應台：你的孩子一定很可愛！

朱高正：啊！那個表情之多，無與倫比的，人家都說他很像我，那是自然而然的。也不是說我故意要這樣，從來没有。我做事很踏實，在德國時，他們還說我「比普魯士還普魯士。」

本刊：你爲什麼那麼充滿自信？有必要那麼自信嗎？

朱高正：因爲我認爲人是很自由的。

龍應台：自由跟自信有什麼關係？

朱高正：哦！妳不知道啊，自信就建立在自由的基礎上，這個是絕對不可分割的。

本刊：如果要你對自己做個評價，你覺得所有的言詞、行動大部分都是值得肯定？

朱高正：不是大部分，至少……。

龍應台：他在接受公審（衆笑）。

朱高正：我在做任何一件事情的時候，我自己的要求很嚴格，那是一般常人難以想像的。

自我要求非常嚴格

龍應台：你現在又在講很「自信」的話，他們在問你，爲什麼那麼自信？你究竟有什麼條件讓你這麼自信？

本刊：一般的反應是說，你能放不能收？

朱高正：我剛好顛倒，是能放能收。

龍應台：好了，你解釋不出原因。

朱高正：好吧，套一句話說，這是理性的事實。

龍應台：唉！暫且接受吧！

本刊：你（指朱高正）也許很懂得方法，也很懂得進退，但你可能有一個很嚴重的問題，你的「我」的主觀意識太强；「我」的主觀意識太强，是不是不太可能做一個好的政治人物……？

我不願意當個政客

龍應台：我接下這個問題來問。去年接觸你的時候，雖然時間很短，一點也沒有感覺到你言行中「我」的成分有這麼强烈。這一次，從接到你的書開始，還有你的電話，我就感覺到你這個「我」的問題，我就姑且稱這個爲「自我膨脹」好了，從政者一定要某種程度的「自我膨脹」，沒有它就好像舞女不跳舞……。

朱高正：NO！NO！NO！全然不是這樣……。

龍應台：聽我講完，你現在有强烈「自我中心」的這種表現與姿態是因爲你知道自己從政非這樣做不可？還是無意識的，這就是本來的你，你就是這個樣子？

朱高正：我是很自然的，一向如此。

龍應台：一向就是這樣自我中心的人？

朱高正：我現在要强調一點，我不願意當一個政客，我相信我有條件做一個政客，一流的政客，但我覺得台灣不需要政客，我覺得我更有資格當一個力挽狂瀾、中流砥柱的……

龍應台：「政治家」？哈！哈！（衆笑）

朱高正：「政治人物」。

龍應台：這個「我」是有很大的潛在危機，你知道嗎？對一個希望有長遠政治生命與政治理想的人……

朱高正：我不希望我有長遠的政治生命，這一點妳要清楚，哈！哈！（衆笑）

龍應台：那你現在在幹什麼呢？

朱高正：我告訴妳啊！我告訴妳！在我看來，搞政治是很沒有氣質的事……

龍應台：你不應該這樣想！

朱高正：那麼清楚的事，我還要跟那些人辯，你看多沒有意思！在我個人看來，我現在正在立功啦！將來還會立言，偶而也會立德。（舉座爆笑）三不朽啦！我自視很高，我主觀意識很強，而且這輩子我沒有看過有誰鬥志比我更加旺盛的人，但是呢！我也很技巧，我很機靈，我懂得讓我的目標犧牲最少的代價，得到最大的成就。假如這個任期，我完成了四項目標，我就不願意再管政治了。第一：國會全面改造，第二：立法院成立預算局，第三：立法院成立立法事務局，第四：成立立、監兩院聯合作業辦法。

龍應台：然後你就不幹了？你說話不要說得太早哦！

朱高正：妳放心！我拿得起、放得下。（哈！）真的我就是這樣子，我自有我的精神王國在那裏。

我的缺點就是太勤勉

龍應台：意思是說，你在面具與真實之間，你還是知道哪個是哪個？

朱高正：我從來不要面具，我的朋友，從高中就看清楚了我是怎樣的一個人。

龍應台：我現在看到的是什麼？是面具，還是真人？

朱高正：是真實的我，我一向如此，哈！哈！哈！如果妳不相信的話，妳聽我太太談我的話，會更妙一點。

龍應台：朱高正，告訴我你一個缺點。

朱高正：我有個壞處，就是太勤奮。哈！哈！哈！

本刊：妳剛剛問朱高正有什麼壞處，是不是也可以告訴我們妳自己最大的缺點是在哪裏？

龍應台：我個人個性上最大的缺點就是缺少毅力，這點和朱高正正好相反，基本上我是一個隨性所至的人。在寫作方面，常常會感到自己知識不足，所以想沈下心來多讀點外面的書。也因爲知道我現在有所謂的「影響力」，所以提起筆來覺得壓力很大。

但是我是以國際水準來衡量自己、批判自己的。怎麼說呢？因爲我對世界的了解大多是透過英文這個媒介，所以凡寫完一篇文章，我會以英文把這篇文章再想一遍。變成假設的英文作品之後，我就比較清楚的知道：這樣的作品拿不拿得出去？敢不敢和別人比？它的邏輯思維、面對問題的態度與觀點、筆鋒的銳利等等，是不是放諸四海而我不覺得遜色？

總而言之，非常的戒慎恐懼吧！

本刊：譬如說有人批評妳的文章「感情」、只呈現浮面現象，忽略了根本的、深層的東西，妳認爲這是不是妳文章中的問題？

龍應台：可以說是，也可以說不是。說「是」的原因是，剖析一個問題的深入不深入，完全是比較性的問題。

本刊：妳是刻意要那樣寫？

龍應台：是，我是刻意要那樣寫。如果和一本四百頁的論文來比較剖析台灣的社會問題，我的當然不夠深入，但是我不同意這個批評，因爲那個論文的深度不是我要的深度，我訴求的對象也不是那個論文的對象，我的用意也不是那樣的用意。要求「深入」的社會批評，你可以去看學術的著作；若要四平八穩，也有各報的社論；若要純「知性」的評析，我們有蕭新煌、張忠棟、朱高正啊，他們都寫過這類的東西。

所以他們要做的不是我要做的，我根本就是有心用落實於生活的筆觸，同時我訴諸的對象是從大學教授、立法委員、計程車司機到賣菜的，希望能在生活上起共鳴。他們批評我的，正是我不要做的，就這麼簡單。

龍應台：（突然問道）朱高正，你在沒有參與政治以前也是個喜歡談「我」的人嗎？以前也是嗎？一向如此？

本刊：朱高正早年在德國的同鄉會裏就非常有名。

朱高正：哈哈哈！

對人的關懷使我寫作

本刊：朱高正你是「有我有他」，還是「有我無他」？

朱高正：啊？

龍應台：你不怕人家對你的「我」厭煩？（一陣哄然）

朱高正：我啊，我從來不擔心這些，我是「尚友古人」啊！說實在的，我不太有興趣跟同輩的人講話，從小就這樣，我喜歡跟老頭兒講話。

龍應台：你現在也是嘛，在立法院裏。

朱高正：哈——那是逼不得已！說實在，我比較喜歡看大部頭的著作。

龍應台：你講話也很像大部頭的著作。（兩人相對大笑）

朱高正：這實在是長久培養的習慣。

龍應台：比德國人還糟！

朱高正：對這點我也不忌諱。我是一個很有特色的人，我常常鼓勵自己不要太在意這些。

龍應台：再問你一個問題，如果有人問我：促使我寫作的根本動機是什麼？我會說：人，最根本是對人的關懷，尤其是對弱者的關懷。如果同樣的問題來問你呢？你從政的最基本的動機是什麼？

本刊：是歷史的偶然錯誤？

龍應台：一個句子可不可以說？我只要幾個字，不要囉嗦。

朱高正：好，我要「讓正義得勝」。就這麼簡單，這是我的動機。

本刊：妳自己怎麼去看反對妳或和妳有不同意見的人？

龍應台：激烈反對我的讀者大致有兩種，一種是出自真心，非常誠懇的，老一輩的，或是從軍隊裏退伍下來的，這是一種。另外一種是由官方策動的總攻擊，對於這種，我覺得很悲哀。我心裏常想，這些東西是不是真的是這些人寫的？寫的是不是被雇用的打手？是出自良心呢？還是被徹底洗過腦了呢？這我就不知道了！從《野火集》到現在爲止，對於有意的謾罵，圍攻式的反應，我從來沒有做過任何的辯護，因爲我覺得他們的水準不夠，不值得。而且我相信我的讀者在這個程度上是有辨別是非能力的。

都曾收到惡毒的謾罵

對於那些出自真心對我的自由觀念流露出恐懼情緒的人，我是一種哀矜的感情，因爲我自己的父母就是屬於那一類的。我寫《野火》的期間，我的父母親有很深的恐懼感，如果我到花蓮去渡假，有三天沒有打電話回家，他們就會很緊張，以爲我「失蹤」了。不過文藝「打手」告密、惡毒謾罵的現象，也是社會不正常的反映。也就是因爲社會沒有多元化，沒有包容性，一有不同的聲音出現，就以恐懼、敵視、攻擊的方式處理。

朱高正：妳剛才提到說有一些惡毒的謾罵，我相信妳的沒有比我多。我那個時平均一天有一千封過激反應的信。

龍應台：你是男生，人家能罵什麼？有人罵我是妓女。他們還能罵你什麼更難聽的呢？

朱高正：老天啊！他們弄那個，讓我看了都噁心，拍妓女的彩色照片然後又寫得很髒。

龍應台：那還是用女人來罵男人，到最後還是女人遭殃！

朱高正：我倒想問妳，妳那時候一天接到多少讀者的信？

龍應台：一天多少我沒算過，不過總共大概有一千多封。

朱高正：像我平均一天收到一千封時，我要自己每十封要看一封。然後所有的信件通通不丟掉，將來交給社會病理學家去研究。

頑固的論調我很細看

我自己做枱面的政治人物，才有機會讓人來罵，在看這些罵人的信時，我是很認真看的，而且很嚴肅的看，希望從這些信中看出一點東西來。至少他們的存在是既有的事實，當然我也看過很荒唐的信，說寫這封信是爲了要放假，新兵入伍時，每個人都要寫信來罵朱高正，說請我多多包涵，很多人都抄一段罵人的話寄來。這是莒光日的教材嘛！朱高正是最好的反面教材嘛！像這種我是不重視，倒是那些很頑固很保守的論調，我很仔細的看。他們也是我們的同胞，他們的存在是既有的事實，我們不可能把他們消滅掉。我一向最討厭消滅對方，我想的是如何吸納對方？對立是很短暫的。所以，我認爲比較嚴重的是封閉的心態。像妳寫《野火》，他們就很受不了，因爲妳打算把這個同質性很高的社會打破，等於要打破過去思想的一元化，變成多元化，造成他們的戒心。

至於說新聞界對我類似跳桌子事件的報導，已經是空前的禮遇了。至少中國時報在隔天也刊出了訪問我的部分，也找一個國民黨增額立委的意見，再找一個中介學者的意見。像這個，我們也不能期待新聞界一下子調整很大。像新新聞就有很大的勇氣，以我爲封面，做了相當完整的報導，在過去是沒有的。

本刊：你敢跳，我們就敢登。（衆笑）

本刊：這一年妳在海外，一定聽到許多許多有關朱高正的故事或傳說，請問妳有何看法？

龍應台：這一次我一回來演講，就有人問我這個問題，我當時回答說「很好啊！」他「衝破了立法院四十年來的禁忌」。其次我們要注意朱高正之所以有這麼大的吸引力，事實上也是因爲我們的社會結構不正常，如果我們的社會健全的話，朱高正也不需要把麥克風折斷，跳到桌子上去表示他的意見。就像街頭活動也是一樣。如果面對那樣一個不合理卻又無法改變的制度，你只好用超出常軌的方式來加以改變。

我那時候在國外看到國內新聞界處理朱高正新聞的方式，我是覺得新聞界應該自我反省。千篇一律都是在講那種情緒性的反應，誰罵人了，誰拍桌子了，真正的問題反而變其次了。也許新聞界是認爲這是個很有刺激性的新聞，可以吸引讀者的注意，所以是讀者的喜好導引了新聞，造成表面的、膚淺的報導。當然這也反映了我們的讀者對於民主還不夠熟悉，而新聞界自己的立場也不夠穩定，跟著讀者的喜好走。因爲當時爭的是國防預算，而其中最重要的是到底誰是誰非？但是大部份的注意力都放在表演的層面上。事實上，民主上了軌道之後，朱高正再怎麼踢啊、跳啊，也不會造成轟動，或者使他成爲「英雄」，他也沒有踢跳的必要。

省籍問題將是危機

本刊：妳這次回來，對國內社會有沒有觀察到什麼特殊的變化？

龍應台：我這次回來特別感覺到省籍問題有被擴大、被惡化的可能。

朱高正：哦！

龍應台：在我們早年的時候，確實是有省籍問題，可是國民黨掩飾說沒有問題。但當我們留學生到國外時才發現，後來竟然有二二八事件這種事情。三十年之後，在民間，個人與個人之間的省籍問題其實沒有那麼嚴重，但是我反而覺得，在另一方面有人想把它惡化、尖銳化、政治化。

朱高正：妳能不能講得更具體點？

龍應台：譬如說，我把柯旗化編的雜誌給台灣的外省的老一輩看。他們看了之後，表示很大的反感。反感不說，他們已經感覺到權力轉移的問題，而產生嚴重的恐懼。我這次回來，跟外省籍的第二代談到這個問題時幾乎百分之八十的人都坦承他們心裏確實有恐懼。當我發覺蔣經國說「我已經是台灣人」的時候，我覺得這個話講的真是時候。但省籍問題如果不好好面對，不好好解決的話，將來絕對會是一個很大的危機。

我有一篇文章，不曉得你記不記得，就是去年走之前作的演講，其中講到「台灣意識」的問題。我說台灣的教科書應該全面改寫，我算了一下小學的課本，一千兩百頁中只有三十頁講台灣，而且那三十頁講的是復興基地的台灣，我覺得小學教材應該全面改寫。

朱高正：妳這些話，選舉的時候被許多人拿出來講過。

龍應台：還有一件事情是我在柏林開會的時候，有一位旅歐的老學人一直在講「祖國」怎麼樣、「祖國」怎麼樣。這是非政治的會議，但是會議裏面有台灣、有大陸的人。我當時就跟那位老先生說，請你不要用「祖國」這個詞，因爲你說的「祖國」對我旁邊這位來自北京朋友是指「大陸」，對我而言就是指「台灣」，大陸不是我的祖國，請你不要用這個字。

我是一個「台灣意識」很强的人，也一向主張我們的教育結構要整個都改，要真正做到讓「台灣」成爲台灣住民的家，這是一年前的想法、說法。這次回來我聽到許多人談「本土化」的口號，但讓我憂慮的是，我發覺有一個矯枉過正的現象是，許多聽到「本土化」這個話的本省人會說：「對啊！我們受欺負了這麼久，本來就應該全面轉過來」。他們會說，台灣人受了四十年的歧視，現在是台灣人出頭的時候了。也許他們話不那麼明講，但潛意識裏有一點「復仇」心態。他們把「台灣意識」過度發揚光大，變成具有排斥性的本土意識。但「反歧視」本身就是一種歧視，我很擔心這個危機。國民黨四十年來的歧視，現在要無辜的外省的下一代承擔它所種下的惡果，我很害怕這一點。

朱高正：對這個問題，我可以告訴妳，我用台灣話在立法院質詢，其實這都是整體策略上的運用，我的目的就是爭取方言在電視上所佔的比重……

龍應台：你是不是贊同用方言取代國語？

堅決反對方言取代國語

朱高正：堅決反對！我舉個例，我到客家聚居的地方，像苗栗或竹東，他們說我可以用閩南語講，我堅持我用北京話講，因爲我尊重每個語系，如果你强迫客家人使用閩南語，那慘了，這樣下去二十年客家話就完蛋了，這是我的基本立場，我認爲應該有個共通的語文。但也是我反對台語被壓迫。像去年口湖鄉那裏死了十四個人，就是因爲他們聽不懂電視新聞，知道有颱風，但不知道那次的颱風是「八七水災」以來最嚴重的一次，而且是從西岸上來。我到那邊去的時候，他們也不知道這個理由，正是他們的子弟到外地去回來奔喪時，才講出這個道理給我聽，我認爲這是很悲慘的問題，是語言引起的問題。但是「台灣意識」是一個現實問題。

龍應台：你要釐清一下「台灣意識」是什麼意思？

朱高正：一般流行所謂的「台灣意識」就是台灣結、中國結那一種。我不太喜歡過度强調「台灣意識」！我現在要提醒的是台灣民族主義問題。台灣的Nationalism。這個我在歐洲也曾經與左派、右派的朋友都辯過，左派是台獨左派，右派是指台獨聯盟這種右派。我個人是不贊成台灣民族主義，其實要組成一個國家也不一定需要民族。妳到德國也應該很清楚，德國是民族主義搞得最糟的，在中歐，你要一刀兩斷這是斯拉夫族的，或日耳曼族的，分不清楚，然後弄到最後，就成了不斷的邊界糾紛。比較擔心的是提出這種很狹隘的台灣民族主義，這種主義具有濃厚的排他性，對這方面我很注意，我第一個助理是外省籍的助理，我老婆也是外省人，對外省籍第二代的問題，我很重視。

排他的台灣民族主義

龍應台：你覺得值得憂慮嗎？

朱高正：我非常擔心。我套一句外省籍第二代的用語：「可能到一九九〇年，還會再爆發一次美麗島事件，但那一次是外省籍第二代造成的。」

龍應台：很有可能。

朱高正：以外省人目前佔台灣人口的百分之十五到二十來講，只要百分之五的人要作亂，你就完蛋了。我的立場是站在「人」的立場出發，在這裏，有利益、有命運共同相與的那種關係，大家就可以在一起。

龍應台：依你看，怎麼作法？才能解決這個問題？

朱高正：外省籍青年你要他們參選，除了極少數，像趙少康、雷渝齊、林正杰這幾個，大概很少人有能耐可以上的。我也認爲，大陸代表制應該按照普選的比例來推薦外省人。舉個例嘛！一百席裏面，因爲外省籍有百分之二十，二十席就是大陸代表，八十席是普選產生的。二十席中，譬如說國民黨與民進黨的比例是七比三的話，國民黨推薦十四席，民進黨推薦六席，這樣民進黨非得去找六位值得栽培的外省籍來參與黨務，這對外省籍第二代問題的緩和應該很有幫助。

龍應台：現在民進黨對省籍問題的主張是什麼？

朱高正：外省籍在民進黨裏確實很少，但我認爲這並不是民進黨有意將外省人的地位貶低，而是民進黨到今天還一直沒有調整它的心態，想到有一天可能執政的問題，這是基本心態的問題。民進黨還是有很濃厚的純抗議色彩，它所提出一個有包容性的、有建設性的方案比較少。

龍應台：對於省籍問題，民進黨究竟提出過主張沒有？

民進黨的省籍主張是什麼

朱高正：當然講起來並不是很積極……

龍應台：怎麼做？你們並沒有真正的討論？

朱高正：這在民進黨本身也有事實上的困難，許多人認爲國民黨今天還壓迫我嘛！如果你盡講這樣的話（指省籍包容的問題），未免太阿Q了一點。

參與國際事務了解困難

龍應台：要講啊！你們不講明白，不把主張提出來，我怎麼知道要不要支持你們呢？

還有一點很有趣的是，你認爲如果你執政的話，會把外省籍第二代當成少數民族來處理，你爲什麼不設法從根做起，籍貫不要，只要出生地，讓大家都變成台灣人呢？

朱高正：不！不！不！這個是最後的目標。

龍應台：你認爲現在只是過渡期嗎？

朱高正：在過渡時期應該給他們格外的周延保障，在我來講，這是「保障」，不是「監督」，而且是格外的周延保障。附帶補充一點的是，如果讓民進黨有更多從事國際事務的經驗，可以大大緩和省籍問題。在德國，CDU（基督民主聯盟）和SPD（社會民主黨）對立得那麼厲害，但一旦與外國人接觸，德國人還是德國人。法國也是一樣。因爲國民黨過去整個壟斷，排除在野人士的參與權，反正是一句話：「你聽我的就對了！」今後如果民進黨能多參與國際事務，也能了解其中的一些困難，在這方面就容易取得共識。

本刊：你認爲「台灣結」與「中國結」要如何解決，它們現在和「兩岸探親」的問題會發生什麼互動的關係？

百通百流都無所謂

朱高正：我一向討厭偏窄的國家主義，對於海峽兩岸的問題，我認爲應該用實際的觀念來看、來解決。可以預見，雙方在短期內很難統一，而且講統一，一定是他們統我們，絕不是我們統他們，但是我不但贊成三通四流，而且百通百流都無所謂！先促進雙方的瞭解、培養起碼的互信，設法讓北京相信，自由獨立自主的台灣對北京是友善的。

我們甚至還可以在很多地方幫他們，至少大家同文同種嘛！但是我們也可以讓他們知道我們的決心，讓他們了解，假使北京想要用任何武力來冒險的時候，我們也要表現我們的實力，像瑞士一樣每一家都有武器，隨時防衛他們的中立。讓北京的領導人瞭解到，如果他真的要動武的話，除了拿到台灣一片焦土來滿足他虛妄的歷史使命，別無所得。在這個大前提下，我反對給北京太突然、太強烈的刺激。

我相信中國大陸內部的自由化，在三年之內可能還是很難期待，而台灣的民主化，對中國大陸的自由化會有幫助。如果中國大陸比較自由化了，相信他動武的機會大大減少。他現在也沒有能力對台灣動武、中蘇一萬一千公里的邊界問題，和印度在三個月之前才打過仗，跟越南的關係也不太好。如果台灣本身不動亂的話（這點很重要），他如果要純粹以武力來統一台灣的話，按照估計，他同時要投入四十個師的兵力。這四十個師的兵力，相當於中共軍隊三分之一，縱使他能抽掉三分之一的軍隊，而不影響到邊防的話，按照他目前的空中與海上的運輸能力也沒辦法同時調四十個師來。在這一點上，我覺得我們應該利用這一段時間，好好把握主動的攻勢，軟化他們的態度與立場，應該還是大有可爲的。

兩岸探親早該開始

本刊：想請問龍應台妳對兩岸探親、文化交流的看法如何？

龍應台：早就該開始了。像瑞士、奧地利、西德等幾個國家，都是同文同種的，我不曉得爲什麼台灣和大陸不能夠像這些國家一樣而百流百通。幾十年來，甚至幾千年來都是傳統大中國式的民族主義的觀念。

朱高正：我要强調一點，在台灣還沒有富裕以前，他們覺得台灣是化外之地，是個男無情、女無義、鳥不生蛋的地方，但是現在台灣重要了，都是爲了面子啦！

龍應台：中國人不管重不重要，他認爲是他的土地他都要，否則西藏爲什麼是他的？這就大中國主義啊！

朱高正：過去他不重視台灣的。

龍應台：大陸人民和執政者也有可能越來越開放，瞭解西方國家與民族的概念，逐漸的能了解台灣住民有權利追求他們認爲幸福的社會，尊重台灣人民的意願。現在，統一和獨立並不是最迫切的問題，先把台灣徹底民主化後，再來談統一或獨立還不遲！根本不必現在去刺激北京的政權嘛！

朱高正：前幾天，政治犯的聯誼會，把台灣獨立規定在章程裏面，我覺得這對台灣的改革，增加了許多不必要的疑慮。

龍應台：增加中共的疑慮。

朱高正：連對國民黨也都增加不必要的疑慮。因爲大家都要面子嘛！蔣經國都說台灣是一個「政治實體」，那什麼是「政治實體」？講白了就是國家嘛！我們現在的問題是，大家怎麼樣多花一點心思去實現它？一方面讓國民黨的頑固派能夠調整自己的角色，另一方面也要想辦法讓北京來確認這一點，上一代的恩怨都已經結束了，大家爲何不能好一點相處？這個結不是解不開。

上一代恩怨都已經結束

龍應台：這個結也不只是台灣跟大陸才有的。在西柏林，我有機會與德國三個黨代表談話。SPD和CDU兩個黨的代表在談有關統一的問題。只有SPD的代表說他們不在乎統不統一，成爲獨立的國家很好啊。後來我就問兩個主張和平統一的代表：除了主觀的情感因素之外，他們究竟有沒有任何其他的理由認爲東西德一定要統一？講了半天，他們還是只能講出「我們本來就是一家」的答覆。這個心態跟台灣與大陸之間也是一樣的。

朱高正：還有一點雙方類似的，SPD講這種話跟西德的基本法可能有相同地方。西德的基本法規定，憲法要等到另一邊的德國人民能自由的表達他們的意願，換言之，就是自決嘛！如果要自己獨立也是可以啦！也就是說SPD可以主張獨立。

本刊：你覺得德國經驗對台灣有多少參考價值？包括西德的東進政策及西德基

本法？

德國經驗足堪借鏡

朱高正：我覺得德國有很多值得我們參考的地方。光以處理兩德關係來講，他們發展出一套理論，或從國際法的觀點，或是從憲法的觀點、行政法的觀點，想盡了辦法，尤其是東進政策做了很大的轉變，用很多模式來解釋東西德現狀。一種說法是，德國早在一九四五年就完蛋了，以後是兩個新興的國家；另一種是，德意志帝國一直是有的，到了一九四五年才分裂成現在樣子。學術界有充分的活力來探討這種事情，所以他們提出了非常實際的模式。而這個在台灣是沒有的，學術界沒有這個機會來探討。另外，他們在處理兩德關係時，是由一個單獨的部門處理，不是屬於外交部。而台灣在對付中共問題時，完全都集中在外交部。「三不政策」是朱撫松提出來的，什麼天龍八「不」都是他提出來的。我覺得國民黨在很多地方很難自圓其說。德國人做事一向都很細緻，連這個都不放掉。

本刊：他放在那個部門？

朱高正：「德國關係部」專門處理對東德的關係。我在德國感觸良深，例如，有一次東德的工程師投奔自由，越過邊境時殺死了守衛。而東德那邊指控他過當防衛，於是西德政府派一名檢察官，會同東德檢察官進行調查。調查結果證實是過當防衛，後來判徒刑兩年之後，才准許他投奔自由。換句話說，個人的政治信仰不能犧牲掉生命的基本價值。這種對生命基本價值的肯定是值得我們借鏡。可是在我們這邊！啊！你多殺死一個，就是殺死共匪，聽起來很野蠻！那到底我們所追求的基本價值是什麼？我倒要聽聽國民黨如何自圓其說？以後很多方面應考慮人道的可能，遵守國際人權公約。這些都是值得向德國借鏡的，只不過，有一點不同，西德比較大，東德小很多，所以東德天天嚷著獨立，但是話要再說回來，我們隔著一條台灣海峽，就是東西德所沒有的。

台灣仍非東方瑞士

本刊：請龍應台談談在瑞士生活的感想？

龍應台：在選舉時，尤清說要把台灣建設成東方的瑞士，而吳梓說台灣已經是東方瑞士了，簡直是放屁！

本刊：你說吳梓放屁或者是尤清？

龍應台：吳梓放屁（衆大笑）！台灣由於處境不同，所以很多事情至今不能做到，如果就對人權保障、對人道的尊重，社會福利的發展程度等等來說，台灣距離瑞士那樣的境地，還非常的遙遠，更不用說到財富的平均了。曾經有瑞士的知識份子在閒談中指責我，爲什麼在文章裏面不批判瑞士的社會？他的意思是，瑞士有很多缺點，爲什麼不講呢？但我何必費心批評瑞士，我又不是瑞士人！這是出發點的問題。

照顧弱者的程度看出文明

另外，瑞士有很多問題，像老年人寂寞的問題，人與人之間的疏離問題，年輕人生活的意義問題。在我主觀的情緒上，我不喜歡瑞士這個國家，太保守，太封閉，住在瑞士像是住在一個沒有窗戶的房子裏。但是客觀的說，瑞士創造了一個相對於其他國家相當「完美」的社會：幽美的生活環境、公平的社會制度、自由的思想空間、人道的社會福利……。在這些方面，台灣簡直還是一個學步的嬰兒，我們要學、要努力的地方太多了。

在瑞士的這一年，我常想：究竟什麼是衡量一個國家「文明」的標準？自己的答案是：一個國家對弱者照顧的程度。這個弱者，包括少數民族、殘障者、勞工、農民、婦女，還有兒童、老人……。從一個國家對弱者的態度，可以看出它「文明」的程度。

朱高正：對於社會福利我必須說明，西德花在社會福利的錢佔全年總預算的四十八％，美國四○％。不跟這些歐美國家相比，就跟亞洲四小龍來比，新加坡三十六％，馬來西亞比我們還落後都有二十七％，而國民黨才十七・八％。甚至這十七・八％用在真正的社會福利上也只有一小部分，因爲這中間要扣掉一二○萬人的軍公教、軍眷、災胞的救濟和撫恤，在八五三億的福利預算中就佔去了七八○億，真正無償還的社會福利，只佔國家總預算的一・五四％，連印度都不如，印度也有五％，所以我說國民黨差透了。做爲一個反對黨的議員，我們要朝著全民健康保險，養老（退休給付）努力。

學生運動溫和而理性

本刊：請教龍應台一個問題，這一年，國內大學的學生運動，非常蓬勃，妳在國外想必也有所了解，是不是可以談談妳如何去看校園的變化？

龍應台：我覺得他們非常的溫和，非常的理性，到目前爲止，就像我那天演講時的感覺，那麼多人擠到台上，擠到我後面去了，讓我幾乎有點吃驚的是，一千多人，但他們表現得有羣體性，很溫和的羣體性。現在校園運動也讓我有這種感覺，到現在爲止，他們做得很好，但是當然不夠！他們得到的也還不夠！目標還不夠，而且他們阻力很大，尤其在校園裏面。

教育改革路途尙遠

本刊：像妳所說目前學生運動具有「團體性」，有共同的意識和共同的作法。但從國民黨的眼光來看，這種變化卻是一個潛在的危機，他們擔心台灣的學生運動一直發展下去，可能會演變成南韓或其他國家的程度……

龍應台：這要看國民黨是不是能改變觀念，這是國民黨的問題，不是學生的問題。國民黨没有誠意，他把學生運動視爲危機，大不了是對政權鞏固發生動搖的可能。任何一個政權，理想與現實能配合一點，我就覺得很不錯了。我不敢要求國民黨實施徹底的民主；徹底的民主，過去的絕對權力就没有了，既得利益就没有了，退到最後一步國民黨要鞏固他自己的政權，最好的辦法就是真正的開放、真正的民主。就國家大計而言，整個民族的生機、活力而言，教育不開放，根本就是死路一條，這是太重要、太重要的一環。現在的學生運動，還只是大結構中金字塔上一個小小的一層而已，很多東西還需要從根本去改革，例如教科書全面改寫的問題，到目前還没有引起注意。你要把小學課本内「大有爲政府」的課全部抽掉，教條八股的東西全部去掉，連國歌都要改，這些根本的問題到現在都没有人去碰！所以說校園改革或教育改革的路還遠得很，雖然看起來如火如荼，其實剛開始第一步而已。

本刊：問一個最後的問題，你們兩位在現階段台灣社會都是非常特殊的，有所謂「朱高正現象」、「龍應台現象」的說法，你們一定考慮到這個現象可能只是階段性的存在，龍應台人又要到國外去，可能這把野火要燒成灰燼了，妳怎麼想像或面對將來這種可能的境況？

龍應台：很簡單，我早就知道「野火」是暫時的現象，這類文章隨著時局的改變、社會發展的變化，都會過去，《野火集》也很快都成爲過去，被時代超越，但是這和暢銷小說、言情小說的被淘汰不一樣。我想「野火」像一粒種下泥土中的麥子，長出花來；長出花來之後，當初種下的麥子當然就不見了；所以我覺得野火是種子，是没有了，剩下的是花嘛。

野火雖盡路途仍多

有記者問我是否會懷念以前那種四處掌聲的日子?掌聲終會過去，我一點都不懷念，因爲我從頭到尾都知道那是短暫的東西。以一個作家來說，「野火」只是這個階段裏的一件事，我還有很多很多以後要做的事，以後還會有不同的掌聲，不同的種子要種下。

本刊：朱高正你怎麼看這個問題呢?在四十年來的國會裏你的角色太特殊了，這裏面不僅是蹦蹦跳跳的問題，再過一段時間，對新聞界而言，你很可能也不再是有那麼强烈的新聞性的對象，要面對一個沒有報導、沒有掌聲、也沒有罵聲，甚至連羣衆都覺得你不新鮮時，你怎麼辦?

是人的社會就有發展

朱高正：有一點我要强調，外界的報導是外界的事，我走我該走的路。只要我掌握了歷史發展的規則性，我認爲社會是人組成的，只要是人組成的東西就會有發展、有變化。而我最大的優點在於我有獨特的批判能力，宗法康德，一切以理性批判，什麼事情都拿到理性的殿堂上。我有信心在可預見的將來，在台灣的思想界上將發揮更大的影響力，至今我在思想界尚未發生真正的影響力，我現在的影響力是大衆性、普羅式的，憑著我對歷史哲學的認識，我認爲朱高正的時代還沒有來臨！

龍應台：我倒想問朱高正最後一個問題，我常說我自己會這麼突出，是因爲台灣社會的不夠成熟、健全。我自認爲《野火集》中「卑之無甚高論」。而且我會拿自己與世界上的作家去比，我知道我現在在台灣文壇的所謂「地位」是局部的，我的成就很小，你是不是也有一個世界觀？你認爲你自己和「世界級的」政治人物來比的話，你覺得自己如何呢？

朱高正：你爲什麼要拿我和世界級的政治人物比較呢？基本上，我是個哲學家……

龍應台：那和世界級的哲學家相比呢？

朱高正：在我心目中，哲學家除了孔老夫子和康德之外，我目中無人。

龍應台：糟糕！

朱高正：爲什麼不能有這個擔當呢？你不要太謙卑啊！

龍應台：這不是姿態上的謙卑，這是實質的對世界與自我的基本認知。

狂人少一點擔當多一點

朱高正：我這個還「不太好意思」公開講，因爲現在一般人認識的朱高正是很有限的，就是公開露面的那一面。所以，如果有興致，我也可以談舞蹈，談其它的，説實在的，我很不願意侷限在政治活動方面，我甚至更願意替台灣的文化界做點事。我常常在强調，人是文化創造的絕對主體，至少在我個人的經驗，我很重視我個人的經驗。我常認爲我可能，別人就可能，雖然我不少朋友都跟我説要我注意是否有精神分裂症的現象，但我自我要求很高。舉個例子，我要回台灣的時候，我教授對我説，你兒子二十年後可能再到德國來留學，我馬上一口回絕，我説，如果我兒子二十年後可以再來德國留學，那就是我做老爸的最大罪過。我今世努力的目標是等那時候你孫子來台灣當我學生，這就是我的擔當！

這個時代狂人少一點，我們要有擔當一點，爲什麼那麼謙卑，我瞧不起謙卑，我今天要的是强者，我要的就是這樣。

龍應台：强者往往另外一面就是弱者。

朱高正：（大笑）。

——《新新聞週刊》一九八七年九月七日

無條件的愛與寬恕

——朱高正、王文興、釋昭慧鼎談宗教信仰與藝術

自由

從電影《基督的最後誘惑》的激烈爭論、崑曲《思凡》的演出風波，到回教什葉派對《魔鬼詩篇》的瘋狂反應，藝術與宗教的衝突頻傳，八〇年代末期全球陷於宗教熱誠與藝術創作的迷思。中時副刊爲深入探索此一現象，特邀朱高正（非教徒）、王文興（台大外文系教授，天主教徒）、釋昭慧（中佛會護教組組長）三位不同宗教信仰的人，就宗教、藝術的衝突與和諧作一場出入中外古今的「跨行鼎談」。這是一場探討宗教文化深層結構的精采對話。

朱高正（以下簡稱朱）：在座王教授是天主教徒，昭慧法師是佛教徒；而我則是尚無終身皈依的非教徒，因此，我就僭越權充引言人，帶領大家來進行今天的討論。

就我個人了解，宗教的起源在社會學裡頭至今仍然莫衷一是，但人面對虛無的恐懼、死亡的威脅、以及對齷齪世俗的逃避……，都可昇華爲嚮往神聖的欲求，而宗教的內涵正是不離神聖、永恆、超越。我認爲宗教就如卡西勒所講的：「它是一種普遍的文化現象。」不管是先進國家或原始社會，只要有人的地方就有宗教。我想，我們可以從這一個基礎談起。

首先，我要强調的是：任何一種傳之久遠的世界性宗教，在某種程度上，必定符合人性深層的呼喚與期盼。以基督教爲例，它歷經了猶太教、舊約、新約，到保羅之後才有建立教會的要求，迨教會制度化後便產生了許多不近情理的規定，才會產生十六世紀的宗教改革。黑格爾所謂的「看不見的教會」，即能說明這種現象。

就佛教來說，從最原始的印度教到佛陀出現已是第七代了，後來又分大乘、小乘等派別。所以，凡是世界性的宗教，都隨著時代、地區而有所調適。到了科學昌明的二十世紀仍有不少新興的宗教陸續創立，由此可見，在工業社會裡，人嚴重異化的結果，無不亟求藉由信仰宗教，以使空虛心靈尋得解脫。所以，如果善用宗教來疏導人的精神，對社會必有安定的功效；對文化的發展、創新也大有裨益，歷史上偉大的藝術創作，很多皆與宗教息息相關。反之，若誤導了宗教情操，那將對社會、人類帶來很大的斲喪，最近，回教什葉派對《魔鬼詩篇》的瘋狂反應，便是很好的例證。

前不久，電影《基督的最後誘惑》與崑曲《思凡》的演出，也都在海內外引起了激烈的爭論。處於自由民主的國家社會，到底該如何同時保障宗教信仰與藝術創作？藉著今天的對談，也許我們能建立一些共識。

宗教藝術和其他藝術可以和平共存

王文興（以下簡稱王）：藝術創作者對宗教往往懷著恐慌的心理，深怕創作的自由爲宗教所剝奪，因此，他們常提出一個問題：宗教藝術到底有無價值？檢視藝術史中的成品，在音樂方面，巴哈的作品以宗教音樂爲極致，韓德爾的《彌賽亞》亦膾炙人口。文學方面，密爾頓、但丁的詩篇；印度劇本《莎昆妲蘿》，皆爲宗教藝術的佳作。其他如米開朗基羅的教堂壁畫，我國的敦煌壁畫，都是東西交互輝映的藝術。由此可以肯定，宗教藝術乃是藝術創作中最高的表現。因爲藝術創作一向注重艱難度，若再從宗教中提煉藝術，就可以達於顛峯。

再者，宗教藝術是否具有自負的理由，以限定其他藝術跟隨其後？在政教合一的時代，或許有此現象，然而在民主時代，世界各大宗教早已揚棄先前的錯誤觀念，因此，宗教藝術同其他藝術是可以和平共存的。去年因爲《基督的最後誘惑》這部電影的推出，基督教徒發起强烈的抗議，使得大衆誤以爲宗教界又恢復了「大審判」時期的態度，其實那只是少數團體的反應。

我以一個教友的立場，對這些團體的建議是：放大眼光。基督教該關心的是無神論的問題，幾百年來，基督教既然能以平常心去看待無神論的哲學、藝術作品，今日又何需爲《基》片中的幾處情節而大動肝火？任何一位基督徒都有絕對的自由去閱讀殺傷力大於《基》片的伏爾泰、尼采的作品，也可以隨心所欲的欣賞任何一種非宗教的藝術。

另外，我想提一個比較褊狹的問題，那就是信教的藝術家該如何抉擇創作宗教藝術或非宗教藝術？從歷史的實例我們知道，在巴洛克時代很多神父本身便是優秀的音樂家，如《四季》的作曲者韋瓦爾第及作過許多巴洛克室内樂的泰雷曼，他們的作品無論是宗教音樂或非宗教音樂，皆同受教會及大衆讚賞。所以，藝術家在創作時應撇開信仰觀，以藝術創作心理爲依歸，靈感自何處來，就該以何處爲題材；世上任何一件傑出的藝術作品，無不來自誠實的創作靈感。反之，在外力指使下而得的作品，往往淪爲八股。

釋昭慧（以下簡稱釋）：截至目前爲止，我個人仍是某種程度的藝術愛好者，過去從事文學創作，也喜愛音樂，直到進入佛門，仍不時留心藝術的動向。

我始終認爲，宗教只是人類文化的某一部分，如果假借其名以支配藝術，未免過於狂妄。但有一點很重要：一個藝術家若想踏進宗教領域，以它爲創作素材，實有必要身歷其境的體驗宗教生活，他的作品才能生動感人。像《刺鳥》、《紅字》都是描寫西方神職人員墮落生活的作品，但我讀了之後卻感動異常，因爲作者的確感受到修道者面對世俗誘惑時的掙扎。又如張系國的《皮牧師正傳》，教徒讀了或許心生不悅，但我卻非常激賞，因爲作者在處理教會間的衝突、牧師的生活時，可謂傳神至極。

最近《思凡》公演一事，宗教、藝術界都寫了不少文章討論，我特別欣賞中時晚報化身傳士所撰的「出家人」，雖然語多諷刺，但對當今佛教界的某些弊病描述得真是入木三分，讓我非常佩服。很多人不了解，以爲我是衛道者，其實不然。面對生命的某些質素，我們自己在修道過程中，深深地體會得到其中的艱辛，怎敢寄望藝術家、文學家給我們全然的讚揚，事實上也不該有這種奢求。只是希望若要描寫的話，總要逼真、深刻才有藝術價值啊！

中國自宋代以來，文化漸次衰退，而佛教在經歷了三武一宗的禍害，加上教會團體的墮落後，後世的高僧欲振乏力。這段期間興起的民俗文學爲數頗衆，但能登藝術殿堂者寥寥無幾。涉及佛教之作品則頗多中傷之外，有的甚至已到嚴重譭謗的地步；在描寫出家人的情欲問題時，又往往只有「慾」沒有「情」。以我佛門中人的親身體驗，生理慾念其實可以修道方式輕易的調適，真正難的是，當遇到一個與你情緣深重的人時，到底要抉擇修道，抑或人間的情愛？這才是最痛苦的掙扎；檢視那些民俗文學，卻未見著墨於此之作。宗教固然不該干涉藝術創作的自由，可是像《思凡》這種足以造成社會刻板印象的作品，在道義上就必須負起社會責任。

我總覺得藝術家該秉持其藝術良心，審愼的過濾傳統文學作品中的糟粕，否則硬是打著「傳統」的幌子，以塞佛教徒之口，實難令人折服。因此，當它造成社會的刻板印象時，我們不得不站出來說話，我們所做的也只是文宣糾正，而非暴力恐嚇，然而一經傳播媒體的渲染之後，完全喪失掉我們佛教徒的本質了。

我個人很同情平珩教授的立場，《思凡》事件引起軒然大波後，她承受了許多不必要的壓力。當初，她顧及《思凡》的演出會對佛教徒造成不良影響，所以，刪掉了戲曲中的最後一句「但願生個小孩兒，卻不道是快活殺了我」，後來演出時也不打字幕。我倒以爲，女人天性本來就有當母親的慾望，毫無猥褻可言；而且，何不打出字幕，讓觀衆自己去評判，到底傳統的作品是否全是珍寶？不少論者怪我們說，何必跟一位小小尼師過不去，就當她是罪孽深重，背叛佛門好了。其實，在佛教的教義中，出家難，還俗易。一般女衆想入佛門得須先觀查兩年，即使我們已入佛界，仍不敢違論一生能走得順暢平坦，那種情況就如唐太宗所言「如一人與萬人敵」。但還俗則極其容易，只要跟任何一位能領會意思的人訴說，還俗立即成立，根本不必任何儀式，那須像《思凡》中的小尼姑用逃的？所以，我們跟那些批評佛教者的觀點其實完全一致，然而濤濤之言皆以爲佛教徒難以接納還俗的事實，這罪魁禍首全屬那些傳統民俗文學的誤導。

把裁判權交給讀者或觀衆

朱：聆聽了王教授和昭慧法師的高見之後，我想就昭慧法師方才談及的內容，提出有關藝術的評價問題來與兩位研究。

昭慧法師認爲《思凡》對佛門是惡意的中傷，也提到刪掉的戲最後一句「但願生個小孩兒，卻不道是快活殺了我」。依我個人閱讀後的心得，以爲這齣戲乃在呈現思凡的性慾浮動。「生兒育女」只是冠冕堂皇的藉口，「卻不道是快活殺了我」透露出的「慾」才是該劇的重點，若剔除了這句話，則全劇精髓頓失。

昭慧法師又說，藝術創作要負道義責任，這跟「文以載道」的觀念頗有相通之處。我舉一個例子來表達個人的意見。一八七五年三月三日，比才的《卡門》在巴黎首演時，演到後面，觀衆一片噓聲，無不譴責其敗德，後來，反而在維也納博得喝采。因此，所謂「道義責任」，有時得排除時代的偏見。另外，內容與形式在藝術的價值觀中應是無分軒輊的。如古埃及的法老王假宗教之名建築金字塔以標榜其功動，每座金字塔皆可視爲法老王殘虐的表徵，但卻無損金字塔本身在建築藝術上的成就。關於《思凡》，有評論家說：《思凡》是元、明俗文學的經典之作，舞蹈集合了袖舞中所有的重要身段，爲傳統舞蹈中集旦角大成者，而樂曲更是音樂史上的珍貴史料。所以，就尊重藝術的立場，是否可以不論其內容，而純粹欣賞其音樂、舞蹈等形式？倒是其間的標準由誰衡量的問題，值得我們討論。德國的憲法史上也一再爲這個問題而爭辯，最後確立的原則是：尊重社會自主；也就是說裁判權交給讀者或觀衆。藝術家不僅有創作的自由，更有演出的自由，有人若不同意作品的內容，應以和平理性的方式表達自己的意見，譬如到演出會場的入口外遊說、散發傳單等；但絕對不可侵入會場干擾觀衆的欣賞，因爲觀衆也有不受妨礙的自由。所以西德基本法第五條第三項特別將藝術自由分隔保障，使其自由的空間大於其他自由。

黑格爾將藝術、宗教、哲學視爲人類絕對精神的顯現。我們三位剛好分屬這三者，想必都有寬容的心態，承認藝術是一個獨立的領域。前不久，報端刊載了許多建議教育部重審國劇劇本的文章，令我深感詫異。《思凡》成書至今已二百餘年，如果貿然刪改，豈不破壞了藝術的完整性？況且，在封建時代都被允許自由演出，爲何在我們這個民主社會裡，顧忌反而增多呢？

閒暇之際，我雅好清代的俗文學作品，發現那時的文人跟寺廟的關係深遠，所以，當他們爲文打發內心的鬱悶時，難免擷取熟悉的佛門人、事爲素材，因而在俗文學中形成主流勢力。就我的觀察，《思凡》並無刻意中傷佛門之意；何況，它已流傳久遠，如果，真有不妥之處須要糾正，我建議一個比較健全的方式；多鼓勵佛教徒從事藝術創作，從正面的角度描述佛教徒的修道歷程，以更好的作品來平衡往昔的誤導。

釋：我並不覺得《思凡》是經典之作，勉强算是入門之作。就傳統的觀點來論，《思凡》在元朝時稱爲《秋江》，描寫的是道姑與書生的戀愛故事，其間經過不少增減。而且，我覺得《思凡》純屬想像之作，一位十六歲的少女可能有愛情的嚮往，可是生理上的慾望，那裡會荒謬到見到人家夫婦在一起就心熱如火，我認爲是作者自己的心態强行附加到純真少女的身上。就藝術表現人生的觀點來看，根本疏離了現實。

朱：依照周禮的記載，女子在十四歲時便可行人事，古代女子也都早婚，可見生理的成熟應無問題，但心理、精神層面可能還相當幼稚。因此《思凡》對佛教的了解就只停留在剃度、不得結婚……等等的表象。在一味的壓抑而疏於開導的情況下，她的反叛難免就特別强烈，因而產生許多不切實際的遐思。

談到這裡，我忽然想到一個非常重要的問題，那就是藝術創作的真實與生活真實不相符合時，到底有沒有價值？我們都知道王教授的《家變》發表後，曾引起廣泛的回響，大家都認爲世上怎可能有范曄（《家變》一書的主角）如此不孝的人，但文學上卻都認可那種父子關係的邏輯是真實的。所以，我特別提出這一點來就教於王教授。

王：我想，十六歲是一個成長的轉型期，如果以它爲界線，頗有可議之處，爲了使問題更明朗化，我索性將它改成十二歲。在現實生活裡，十二歲的少女極少有强烈的情慾，但我認爲文學作品中若情慾的掙扎描寫得淋漓盡致，那肯定有其價值，就文學批評而言，年齡的誇張只是小缺點。甚至我舉一個更嚴重的比喻，如果作家將男人寫成懷孕生子，只要他文字表現得鞭辟入裡合乎文學邏輯，對文學價值應不構成太大的影響，頂多在顚倒性別上扣點分數而已。

釋：我承認藝術形式有其客觀的價值，可是若會造成社會負面的印象時，作者就該本著良心道義，略做交代。像《基督的最後誘惑》所描述的基督，跟聖經差得十萬八千里，因此，作者在開頭就寫道：純屬虛構，並非根據福音書。

朱：一部文學作品的價值，絕不在它是否完全符合現實條件，像古希臘的文學作品、浮士德等都是如此。可是它也具備了客觀的評判標準，那就是，能否激發讀者的强烈共鳴。另者，作品是否留給讀者一個想像的空間，讓讀者隨著年齡閱歷的增長，而對它賦予不同的詮釋，這也是非常重要的。

釋：有關《思凡》重審一事，我想借此機會再略作聲明。我們之所以跟社教局打交道，肇因於藝術學院一再强調，該劇是教育部審核通過，既然有審核制度，那表示國家的文藝政策是有尺度的。據我們的資料顯示，《漢光武殺功臣》這齣國劇原訂於去年在國家劇院公演，卻遭受封殺，今年刪去漢光武殺功臣的情節，便通過了。明明是歷史的事實，竟以政治禁忌爲由禁演，那麼爲何放《思凡》一馬呢？難道宗教就不能有禁忌嗎？

同時，藝術界無法令我們折服的是，光在重審問題上大作文章。我以爲若真有保護藝術的魄力，何不乾脆要求教育部徹底的廢除審核制度；而且，爲什麼對《吳鳳》被删除於教科書之外，竟三緘其口呢？以佛教界的立場不禁要問：既然《吳鳳》可删，難道《思凡》就比較偉大嗎？

朱：《吳鳳》跟藝術創作扯不上關係，而且它編在小學教科書裡，不是任人自由欣賞的作品。它涉及歧視少數民族之嫌，站在維護人性尊嚴之立場，將傷害原住民自尊的《吳鳳》删除，無可厚非。這是它跟《思凡》不同的地方。

我倒是要舉個有趣的例子供大家參考，大約一年多前，香港有部電影叫《電視台有難》，其中那位「牛高正」議員，很多的肢體語言，比如搶麥克風……等等，就在含沙射影的諷刺我。新聞局擔心我會有所反應，所以遲遲不敢核准，當然，片商也不好意思來託我。輾轉一段時日，我知道之後，便請助理打電話向電影處聲明：朱委員絕對尊重藝術創作。我想，對區區一位國會議員尚且如此，若是位尊權重的高官，那禁忌豈不多如牛毛？由此推論歷史，尤其是現代史，不知被刪掉多少。所以，我徹底的反對審核制度。

王：我個人也贊同藝術的絕對自由，可是有時總會設身處地自唱反調的爲反對者著想：反對的理由在那裡？我以爲，抗議者絕大多數是受害者，就像人挨揍產生「痛」的感覺時才會叫痛，我們也應該尊重「痛」者有理；這些受害的弱小團體往往已經「痛」了一段相當長的時間，他們之所以敢提出抗議，通常是最近由弱轉强。持平而論，這些抗議有的公正設立非公權力介入仲裁機構，有的則難免過敏而侵犯了多數人的自由。社會若採取照單全收的因應方式，那就形成了「少數支配多數」。事實上，當今世界上的民主國家都是「多數服從少數的」。

例如美國的黑人抗議白人種族歧視以至於政府制訂法律保障黑人的權益，若有人膽敢談論或撰寫不利於黑人的言論，必定遭受法律的制裁。這似乎不太公平，畢竟，並非每個黑人都是聖賢，社會之所以如此讓步，其實並非以是非爲標準，而是以强弱來區分。

這麼說來，這社會豈不没有是非了嗎?也不必如此悲觀，總有一天，是非觀念還是可以左右論爭。這一天什麼時候才會到來，那就得取決於弱勢團體何時能將社會地位、自尊心提升到敢於自我批判，同時徹底掃除過往的弱勢陰霾。

依據這種唱反調的論證，或許藝術創作是該受到限制的。但社會若强硬而不肯退讓，那解決之道唯有抗爭、論戰，其結果還是得靠强弱來決定。不過，强弱的鬥爭並非全靠蠻力；智慧、道德、同情才是高明的訴求，黑人成功的要因就在於讓白人產生罪惡感。

我不敢說誤解了昭慧法師的立場，可是你們的想法如果跟我上述言及的抗議觀點相同的話，那麼，我覺得你們的前途唯有「比武」一途。

但客觀而論，你們的抗議，要比任何弱勢團體來得艱辛，至少你們不得使用暴力，因爲暴力有違佛教的信仰。我的建議是：如果採取以退爲進，或博取對方同情的方式，效用可能會更好。

民主社會也要容許表達錯誤意見的自由

朱：方才王教授特地以犬儒派憤世嫉俗的角度來反證。的確，我也很擔心佛教界如果採用强硬的手段來抗議，那麼將來藝術團體會不會「以其人之道，反治其人」？屆時整個社會豈不紛擾難休？我深深覺得，對弱勢團體的尊重應是民主社會該有的特質。民主社會不僅可有表達正確意見的權利，也要容許表達錯誤意見的自由，何況，意見之所以稱爲意見，正在於它不僅是事實的評析，而且也揉合了主觀的判斷，每個人皆有權利公開表達他的意見，至於能否引起大衆的共鳴、支持則在其次。

任何一個光明正大的宗教，最後總歸結於無條件的愛與寬恕，只要立場正確，實不必急於理出孰是孰非，何況，今日的是非難保明天不會改變。

這次《思凡》事件給了我一個啓示，那就是應設立一個排除公權力介入的仲裁機構，並且，最好是由藝術界和宗教界共同組成的民間團體，這樣才能確保兩者的自主性。

在場兩位是宗教中人，對宗教問題都曾深入的研究，關於「宗教的理性與非理性面」，也希望兩位能發表自己的高見。

大凡宗教總不離信仰，而信仰則無關對錯，像聖母瑪麗亞處女懷胎便是基督教的信仰核心。所以宗教的神聖面推至最後乃是一個假定，其非理性面大概就在這個基本假定。

至於理性面，我想，舉凡見證、傳福音、論道及教會組織結構等，都包含在這個層次。我個人對宗教的了解還非常淺薄，相信兩位一定有更周全的補充。

王：這是一個牽涉到宗教本質的深奧問題。首先，我要聲明，我的發言純粹只代表個人的意見，與我的教會無關。

宗教跟宇宙的神秘一樣，是非理性之中包含一小部分理性。神學是理性的一種，它試圖盡量以理性來解釋非理性，儘管「盡量」的能力微乎其微，但人類總有以理性來解釋萬事的慾望。

其次，另一種相反於神學的理性，就是朱委員提到的神蹟見證。其實，沒有一個教徒不迷信的，何謂迷信呢？那就是不用神學的分析，而只看結果靈不靈。說得更明白點，便是以神蹟顯現爲依憑，這種「眼見爲信」的實證態度，也是一種理性。這種理性非常重要，如光靠神學有限的研究，最後將落入神學的清談遊戲，而對神產生懷疑，因此，神學家乃是迷信的理性加上神學的研究，構成了宗教的熱誠。其結果很荒唐，兜了一個大圈回來，若問他對神了解多少，其實等於零。

不知道這些觀點，跟佛教是否有相通之處？

釋：同異皆有。在佛教知識有兩種來源：一是直感的，屬非理性；一是經推理而得的，屬理性。前者稱爲「現量」，如手一觸摸到火，直覺的便立刻抽回；後者稱爲「比量」，如看見山後冒煙，由是推論可能起火。

另一種與信仰相關的，我們稱之爲「聖言量」。假設，某人達到了我所未及的境界，但我憑藉著對他的信仰，因而相信了他的一切。比方說，佛陀證得涅槃，耶穌基督感受到上帝的召喚，這都不是一般教徒所經歷的，然而基於我們對佛陀、耶穌的信仰，於是相信祂們的種種告示。宗教之所以異於其他人文科學，正在於它容許非理性的直感經驗的存在。

宗教的英文religion，其本身就含藏著「超自然力量的約制」的意思，但我們並不認爲如此，換句話說，佛教是無神論者，那麼爲何它又成爲一種宗教呢？

如王教授所言，佛教也可分爲兩部分，一是非理性的神秘經驗，只要你進入那種情境，透過某些宗教儀式，如虔誠靜心的唸佛、禪坐……等等，便很容易顯現那些神秘的現象，宗教的真正核心的確就在這裡。其他部分才是透過語言、文字所表達的教義。然而，超越理性證得涅槃的最高境界，正如「言語道斷，心行處滅。」一般的無法言詮。佛教常說：「不可言說。」其道理就在於此。

所以佛教對「宗教」的定義是這樣的：所謂「宗」，是超常識非理性的神秘經驗；所謂「教」，是將神秘經驗在不可說中，方便的教導教徒，使其修得正果。佛教徒無不堅信，只要順著佛陀指示的途徑修道，每個人都教以成佛。禪宗常講「以指指月」，其中「指」是理性的指標、起點，而「月」才是非理性的達入境界。

朱：今天真是一場愉快而精采的對談，雖然討論中的不少例證都是有關宗教、藝術的衝突與和諧，但兩位學識通達，旁徵博引，出入中外古今，涉及之範疇已涵蓋了宗教文化的各個層面，我有幸忝列此一盛會，真是獲益匪淺。限於時間的關係，未能繼續受教於兩位，希望以後還有機會。最後，讓我們一起感謝人間副刊提供我們一個省思而美好的下午。

——《中國時報》一九八九年二月二十三日

夜宴　鄭愁予與朱高正感性對談

帶動新的思維方式，就是要創造一些新東西，這正是文化創造力的展現。創造者不應受一般法則約束，而是自創法則。在此文學與政治是交集的，政治家一如文學家最需要的特質，是豐富的想像力。一個冬天的夜晚，朱高正和浪漫詩人鄭愁予秉燭暢談政治現象和民俗文化，以及哲學、宗教等的互動關係。

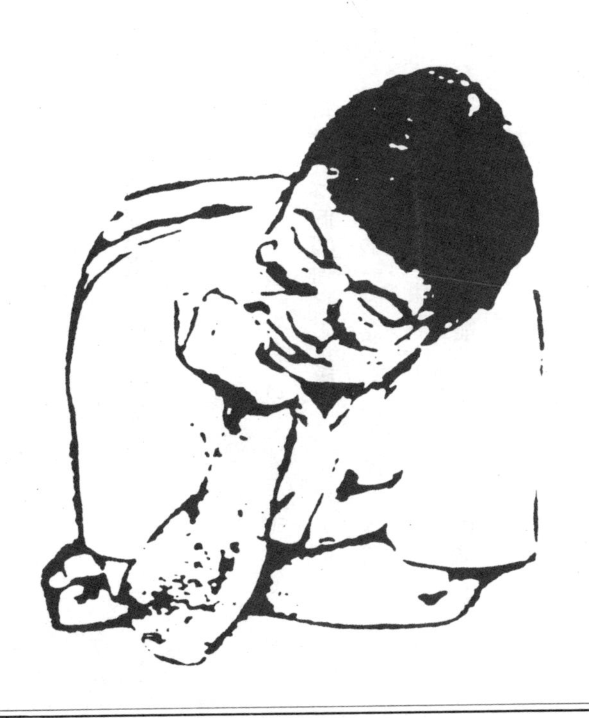

政治與文學之間

張寶琴（註）**（以下簡稱張）**：今天我們看到朱委員如此平易近人，實在是驚訝⋯⋯

朱高正（以下簡稱朱）：被扭曲了嘛，其實不被誤解才怪，凡是帶動啓蒙思潮的人，倘若不被誤解，就可能表示你所帶動的不夠新穎。帶動新的思維方式就是要創造一些新的東西，尼采從宗教、文學到最後整個談到意志哲學，一切論點都只是求「創造些什麼」。也許我最欣賞康德論藝術時說的一句話：「藝術所需求的是天才、鑑賞力。」什麼是天才？天才是不受一般法則約束的。不是說天才不需要法則，天才是自己創造法則。畫家背反一般的技巧，把不可能的變成可能，包括文學的寫作技巧也是一樣。

鄭愁予（以下簡稱鄭）：美國立國以前，Abrham Clark 在議會裏素以敢言著稱，他直接批評英國女王，在當時簡直是驚世駭俗。有幾個青年跟隨他，包括傑弗遜（Thomas Jefferson）都接受了他的影響，後來創造美國憲法；可以說他的靈感影響了所有開國的英雄。在殖民地議會，他那種勇氣很不簡單。

朱：不必講美國，在我們的歷史傳統裏早就有了，像孟子。我最心儀孟子的脾氣，像「説大人則藐之」。中國人强調：「君君，臣臣，父父，子子」，這跟一般人了解的中國傳統倫理完全不一樣，你讀書人有自己的骨氣也就好了，爲什麼要説：「説大人則藐之」？又像他説：「聞誅一夫紂矣，未聞弑君者也！」這是多麼大膽的話！所以中國歷史上有些皇帝最忌諱談到孟子；這種在所謂道統裏就有啦，但被刻意壓抑掉，其實這是最寶貴的一部分。

張：今天我們安排這個對談，可以説是「第三類接觸」。朱先生從政，所謂處理衆人之事，需要非常理性；可是朱先生對民意氣氛的掌握、拿捏之準確，可見亦有相當的感性訓練。愁予是位詩人，他對於整個社會環境有强烈的敏感度而把它表現成詩的形式。雖然從事的行業不同，但基本上都有敏銳的觀察力還有一些感性的訓練。也許可以交換意見，政治看文學，文學看政治，也許會有交會的地方，可激發出些靈感來。

鄭：我想很多人想知道，你在中學時期是不是常常讀文學作品？在青少年感性開始發展的時侯，你讀哪些文學作品？

朱：就我所接觸的，像《史記》、曹氏父子的作品。禮教無所不在嘛……在中國要找純文學，大概像李後主，但是他也會藉詞來表達對現實的不滿，屈原也是。我從高二開始對中國古書有興趣，其中先秦占大部分，如《國語》、《戰國策》、《左傳》，另外像《史記》、《四書》……等。

鄭：你剛剛講的我有同感。中國文學從第一部書《詩經》開始，《詩經》的政治部分有其正面和負面，正面是朝廷的，像〈商頌〉、〈周頌〉，是政府制式的東西，用來祭祀的。另外還有批評政府的像〈碩鼠〉等詩。政治意識和中國文學是分不開的，一直要到後來有了小說、戲曲才慢慢淡下去；開始的時侯完全是合而為一、不分的，文史哲不分家，它的歸依還是政治。

朱：中國「文以載道」的觀念很重，像戲曲、小說等俗文學在中國整個意識上來看，地位不是很高；通常是一些落魄或者比較瀟灑的文人才寫，「烏衣者流」通常不會去寫「純文學」。在西方則有一個觀念：「政治是骯髒的，文學是清純的。」

鄭：對！詩使人間乾淨。

張：我記得甘迺迪（John Kennedy）說過：「如果這個世界多一些政治家和詩人，我們這個世界會變得更美好。」

朱：西方還有一個很極端的看法，像柏拉圖，他所代表的治國的理想是典型的極權主義思想，因此他瞧不起文學。

鄭：所以他的「理想國」是沒有詩人的國家。

朱：對！基本上政治對文學可以有三種態度：徹底否定、中性和鼓勵；近代西方自由民主法治的國家是持中性的。我從政的理想是從「法治國」、「社會國」到「文化國」，所以我對文學是持鼓勵的態度——鼓勵而不干涉，難就難在這裏，因爲鼓勵容易變成操縱創作的方向。

哲學家的影響

張：朱先生，你能不能談談你個人從事政治改革的社會使命感，在成長過程中是怎麼養成？

朱：我從小受儒家思想的影響很深，尤其像孟子。我個人很容易隨遇而安，我的生活也很簡樸，無欲則剛嘛。但我不會鼓勵文人也這樣，我覺得文人有錢的話應該儘量「腐化」一點、「奢侈」一點、浪漫一點。怎麼講？我很欣賞普魯士的菲特烈大帝，他的宮廷裏文人雅士要怎麼揮霍，隨你。所以說天下之士景從，多少音樂家也來到他的宮廷裏，反正你能搞出什麼花樣隨你。在這一點上不能計較成本，文學創作也是一樣，不能太過分計算——太邏輯，有時應該是非邏輯，甚至是反邏輯的。

鄭：康德的美學觀念和中國傳統美學觀念中相合之處甚多。像解釋生命時，康德說：「生命不可知。」中國人在哲學裏從不去追究生命是怎麼一回事，甚至連「神」這個字眼都不提——認爲這是自然的，而靠文學、美學和人的本體論結合起來。在這之間，和英國的哲學體系不一樣，像羅素談權力和慾望——對你個人而言，權力是不是慾望？

朱：我想引述一段博士康德的話：「『哲學家來當國王，或者國王本身就是哲學家』，這種柏拉圖式的哲王思想，非但不值得期待，毋寧是不應該期待。因爲權力的佔有不可避免地會腐蝕了理性自由判斷的能力。」康德講得很清楚，哲學家幹哲學家就好了，不要去想觸摸權力。哲學家當國王的諍友，甚至當國王的老師，就僅止於此。

鄭：哲學家雖然自己不去爭取權力，也不做統治者，但是受哲學家的影響常常會造成很强有力的統治者，比方說希特勒和毛澤東，可以說哲學家對他們影響很大，所以他們才成爲那麼有權力的統治者和獨裁者。如果是一個歷史演變下來的政治領袖，不會是像希特勒、毛澤東這樣的人物。所以說哲學家用自己的力量去影響別人，去實踐自己的理念，這不是也有可能嗎？

朱：這個我反對。像說毛澤東、希特勒、列寧受哲學家的影響，我看那只不過是這些哲學家也許提供了一些 justification，事實上他們能夠奪得地位，是靠他們的磨練，培根講「Knowledge is power」我舉一個例子，馬克斯在〈費爾巴哈提綱〉最後一條（第十一條）裏說：「哲學家從各個不同的角度來詮釋這個世界，但重要的是去改變這個世界。」事實上哲學家對現實世界有影響力始自馬克思，在馬克思以前，哲學家是最被瞧不起的……

鄭：你是從哲學史來談哲學家，我是從現代政治現象來談哲學家的影響……

朱：事實上，毛澤東、希特勒等人背棄了自由思辯的精神，哲學家如果能夠隨時以自由思辯的精神來捍衛，世界就不會這樣。我最恨「一言堂」，要鼓勵不同的意見嘛，像對文學家要多尊重一點，即使是「荒謬的」，你也要容忍它，不要什麼都講究「合理」，人要能容忍錯誤，甚至要懂得欣賞錯誤。

文學的功用

鄭：你自己覺得文學和藝術對政治有什麼功用？你的想法如何？

朱：文學對一般政客來講，毫無功用。對一些旋乾轉坤、開創先機的政治家來說，功用可大了。我的經驗裏，一個政治家最需要的特質就是豐富的想像力，文學在這方面提供了非常自由的空間。我從政的理想中首先的「法治國」和「社會國」，重點只在於一個免於侵犯的自由而已，「文化國」才有積極的意義，「文化國」在確保人可以充分自由地發展其人格，在這裏文學藝術可以自由創作，可以彰顯自己的人格；人格自由的積極面在這裏可以得到充分的顯現。

我們來談什麼是自由。盧梭寫道：「人生而自由，但卻處處都在枷鎖之中。」連被生下、不被生下的自由都沒有。真正的自由在哪裏？就在「想像」，人最可貴的是只有人才能想像，其他生物是沒有想像力的。想像力是比較具體的自由，把現實存在的可以想像成不存在的，把現實不存在的想像成可能存在的，在這裏打開出一片非常寬廣的世界。創作就是需要這種想像的能力。一般人講 imagnation，我認爲康德用 Einbildungskraft，稱作「構想力」比較好，Einblidungskraft 是誇張的能力。就文學來講，在現實苦難的世界想像一個不苦難的世界，在不合理的情境中認爲可以擁有合理，文學於其中充分發揮想像力。這種想像力對政治人物來講，提供了一個很大的空間！在談判時最需要的就是想像力，要充分掌握對方的底線和忌諱，當你提出一個模式，他不願接受，不要死撐，很快地找另一個可以讓他下的台階，要不停的轉、不停的轉，需要很豐富的想像力。

鄭：你這麼說比較接近想像力，因爲只有想像力而沒有創造力並不能落實。

朱：但是想像力是創造力的泉源……

鄭：光只有想像力就變成白日夢，想像力變成創造力之間有個過程，這個過程才是重要的。我去年四月到德國（Bamberg）講中國詩，發覺好像康德思想放諸四海皆準，因爲它可以結合叔本華的精神，可以跨到英國、法國去，不再光只是德國思想體系而已。現在搞政治哲學、文學的都可從中發揮，甚至現在反抗唯物主義、馬克思主義也用康德的理論。剛剛你提到應用想像力和創造力，搞文學的人除了想像力、創造力之外沒有什麼好顯示的；從事文學事業，就是從事想像事業。大家談文學都是正面的，但有時文學不是這麼正面的，它也會產生許多負面的影響──假如文學藝術對社會的文化體有不利的影響時，你想怎麼辦？

朱：我個人的看法很不願賦予文學某種使命，我很反對「文以載道」。我會確信某一種理想，但我永遠會提醒自己：「你所堅信的理想，並不是不能被挑戰的。」我們不要誤以爲你現在所抱持的理想就是一個 final truth，在這一點上我隨時提醒自己。

人、宗教與詩

鄭：我有個問題，你剛剛提到自由、自由定義的解釋。我們很淺顯地了解，在西方，基督教的影響力非常的大，雖然他們每個人有父親、兒子，但對上帝而言，每個人都是祂的兒子。每個人對神負責，這變成個體，逐漸形成個人主義。個人主義產生個人對個人的相互尊重，基礎上，是形成民主政治的一個基本因素。你在立法院互相爭辯激烈時，有沒有想到要尊重對方？尊重他的人格，在談一個道理的時侯……

朱：你對基督教說對個人的尊重，我不同意，事實上在天主教來講，沒這回事……

鄭：我講的是基督教的基本精神，不是講它的制度…

朱：你看，在東正教就更不必講了，在天主教方面，家庭的觀念還是很濃，家長權還是很重，你看西班牙、葡萄牙……

鄭：我不是說宗教和家庭倫理的衝突，我是指對做爲個人而言。前些日子我在美國柏克萊開了一個會，剛好讀到一篇登在紐約時報上的文章，作者在討論「人」這個英文字，我們知道英文 man 是人，individual 是人，person 也是人，都是人。他用 person 來解釋，證明 person 導源於基督教的精神。

朱：不是這樣。man 是普通的英文字，它沒有拉丁文的語源。什麼是 individual？individual 不叫人，我套天主教一篇論文中的一句：「一隻青蛙，也是一個 individual。」它是「個體」的意思。人（person）是從拉丁文 persona 出來的，一種三位一體的所謂「位格」。我們講人格是 person，其實宗教改革之後，才有所謂「個人主義」，因爲他們認爲人和上帝之間的教會妨礙了人對上帝神恩親炙的機會。在新教的精神裏面：「每個人在他心裏都有一個看不到的教會。」新教所顯示的精神是每個人都可以直接跟上帝交通，換句話說，每個人都可以自己來解釋聖經。因爲教會的權威瓦解，才有個人主義的興起。從整個西方思想史上，文藝復興以後「異教」文學的價值才重新被肯定。「異教」文學——從古代的文學開始，從對希臘文、拉丁文的研究開始，重新認識古代的希臘羅馬文化，從這裏開始了所謂的Renaissance，文藝復興本來就是從對古典語言的研究開始，文藝復興以後，所謂「人本主義」出來了，從「人本主義」漸漸擴充。

鄭：我剛剛談的不是講基督教整個歷史的發展。現代西方社會的個人主義不是任何一派哲學思想造成的。即使有人提起如「天賦人權」之類也是從基督教的教義裏申衍出來，長期居住在西方社會，我們會逐漸了解到他們的基本精神在那裏面。如果從整個基督教的發展歷史來談，那就非常混淆了，因爲這不是一種歷史的事情，是……

朱：你大概是把英美文化系統認爲是西方系統……

鄭：不但是英美，包括德國……

朱：德國就不是這樣，德國剛好在整個歐洲的中央心臟地帶，德國是一個分水嶺，德國以西叫西方，德國以東叫東方。在德國所謂「個人主義」是非常少聽到的，德國是一個高度組織的社會。德國非常强調 Gemeinschaft，什麼叫 Gemeinschaft？就是 community。在美國，車子停在路邊被撞了，没人管；在德國的話，馬上就有人把你車號記下來，夾到被撞的那輛車子上面，這種團體意識已內化到國民性格裏面去了。

至於先前的問題，你到立法院去探聽，跟我拆過招的，對罵過的，哪個不服我？爲什麼？我從來不對人，只對事，好話説盡，道理講盡，接著就是行動了。

張：朱委員，可不可以談談你看過的文學作品？

朱：我也是看小説的，不是不看。我看小説有很奇怪的感覺，就是覺得需要墮落一下的時侯，才看小説。因爲我連追我老婆的時間都精算過：三十二點五小時，這已經是最高紀錄了，我不願爲這個花太多的時間，生命是有限的。

張：你對鄭愁予的詩有什麼了解？在台灣，他的詩風行最久，最普遍被人認識。

朱：我看的……不敢説多，大概看了有二、三十首。看過鄭先生的詩給我這樣一個印象：鄉土氣息很濃。可以看到有山有水、有色彩，而且還有聲音；題材很廣，對土地的摯愛充分流露出來。我看你一九五一到一九六八的詩集，我一直在想：是不是有刻意在迴避去 touch 現實政治的問題？因爲依照你的才華來看，對鄉土的摯愛那麼深，而不去 touch 到現實的問題，真是不可思議。

鄭：我十四歲開始寫詩，在北京讀了很多普羅文學作品，受人道主義精神影響很深，所以我開始寫的都是礦工之類的題材。剛到台灣時我對這裏的氣息非常不習慣，也就不寫。一九五七年，我所喜歡的詩人如艾青被打成右派，使我對人道主義的信念開始改變。我覺得過去台灣許多政策只是沒有弄好，其實本質上是正確的，像「反共」。

一九六六年文化大革命開始，我變得非常積極，「革命的衣缽」是那時候寫的，我覺得共產制度是反文學的。

感性・人味・美學

張：剛剛聽你引述康德、柏拉圖的學說，你對政治上柏拉圖理想的看法呢？

朱：如果人是純理性的，柏拉圖是完全正確的，在那個《政治家》一書裏，認爲一個國家最理想的公民人數是五千零四十人，都幫你算出來，是不是荒謬到極點？弄到最後分成統治階級、軍人階級、農工階級……全部分出來，而且彼此不能通婚。在統治階級裏要共妻共產，去除私心私慾，搞到最後，連生育都要限制，這還算是人的社會嗎？如果人是純理性的，才有可能這樣。這樣我要問柏拉圖：難道農工階級他們不是人嗎？他們不會覺醒嗎？不會要求說我們是同類嗎？這個設計本身就是矛盾。講理性，康德大概是講理性最多的，但是大家也不要迷信理性。如果一個人是純理性的，那不叫人，叫天使，在地球上，天使是沒有立足之地的。除了理性，還要加一點感性，才比較有人味。

鄭：我談詩的時候多多少少也用些康德的想法，關於詩的內容、形式、音樂、語言、節奏之類。關於詩的內容我總是使用自然經驗，就好像康德說的：「自然經驗的一部分，每個人都連在一起。」生活過的：閱讀、思想甚至看電影、球賽……等等的一切經驗存積著，然後在寫作時以人文的思維運用出來。譬如現在我不寫人，而是寫一個事件，要將人喝啤酒的姿態、笑容寫成詩，由此把我的自然經驗引導出來，比方從說「你的臉紅得像蘋果」這經驗喚醒我所有的經驗和人文思維配合，再用技巧表達出來，其間的過程就是美學。我認爲最美最適合的部分和我的經驗、人文思維原先沒有關聯，但用美把他們結合；這暗暗與康德的想法接近。

朱：如果美學屬於自由創作，它絕對不是分析，而是綜合的，它強調的是想像力的發揮，更重要的是把兩個不相關的連結在一起，是綜合能力的發揮。這綜合能力像我們作夢，夢到一頭野獸，這頭野獸在現實經驗實際上不存在，但將怪獸分割後每一部分都是存在的——由經驗來的。問題在綜合後是不是具有勻稱的美感，高明就在這裏，而非隨便湊和。

所以一個文學家的自我理念，除了昇華他的生活經驗、人生意念之外，更重要的是拓展自己的視野——包括思想的視野。要行萬里路，接受不同的文化傳統，小至個人不同的人生態度，會有更開闊的胸襟。

鄭：這就是哲學裏講的寬容——心靈的寬容。

朱：這樣文學家可以有更豐富的題材。

談「忍」與「苦」

張：朱委員，你在立法院曾因言辭不合而跟別人打架，你認爲打架的基礎在那裏？

朱：我覺得我們這個時代很缺乏尚武的精神，尚武的精神很重要。崇尚武德，不只知道「攻」，最重要的要有分寸，而不是失控。日本人講「武」，在中文「止戈」爲「武」，日本人講武德，最强調「忍」，刃其心，「刃心」爲「忍」。心是指一種較自然的心，而不是一種經過反省的心，經過反省之後的叫做「忍」，所以說學武的人很講究「忍」。

鄭：我以前借用一個名詞，就是「任俠精神」，任俠，當然要有點武。

朱：我認爲人生的本質就是苦，所以要吃苦。如果沒有苦好吃，就自己找苦來吃，當你把苦都吃盡的時候，哪裏還有苦？我老是覺得不夠苦。有人談苦啦，問我的意見，我說：「哎呀！可見你的生活很單調，沒變化，才會有時間去想說這個苦很苦，你沒吃苦才會覺得苦。」

另一種文學

鄭：當一個人從事文學事業的時候，常會在做爲「自然人」、「社會人」、「經濟人」這三種形態之間徘徊；作家總是想以做「自然人」爲依歸，像成功地表現「愛情」、「死亡」這樣的主題。從事政治的人當然是以做爲一個成功的「社會人」爲目的，得以完成改造社會的抱負。這三種形態互有關聯，只是對不同個人的比重不同，朱先生研究哲學，與做「自然人」更爲接近，這種特質，是不是使朱先生在從政的環境中更能保持獨自的風格？你「得失心」很淡，遠離「經濟人」的活動，而「想像力」旺盛，倒像是一個作家。朱先生能不能就這一點，對「政治家人格」或「政客人格」的形成與條件作一些闡述？

朱：政治是「衆人之事」(res publica)，是處理人的關係，在人與人之間去擬定政策、制度、法律，來規範人與人之間的權利義務關係，而在一定的程度內需要没有私心。因此，我想「自然人」是指人對自己的關係，「社會人」是指人與人的關係，「經濟人」則止於人與物的關係。就這點來看，政治家和政客的人格有不同之處，政治家處理人與人的關係是在於要把人拉回人的本質，讓他的本質能夠有充分展現的機會，是站在尊重人的立場，雖然在現實社會裏他要處理人與人的關係。政客雖然也處理人與人之間的關係，但他並不在於要把人拉回人的本質，而是把人予以物化，惟利是圖。

總言之，「社會人」有共生關係；「經濟人」是一種工具、利用關係；「自然人」追求本質存有，所以他把人當作一個固有目的來看待，而政治家正是如此。

鄭：從事文學創作的動機，常常是來自「對生命的困惑」，廚川白村說：「文學是苦悶的象徵。」文學家對「時間」與「生死」有其超過對其他任何事物的敏感。你非常積極樂觀地從事政治與社會的改革，這種力量的來源在哪裏？如果以文學形式表現，是不是會形成「另一種」文學？像「社會批評」，甚至是正面的所謂「健康的寫實」？

朱：談到這裏，文學與宗教就分不開了。大概可以這樣講，宗教源自「恐懼」；人對大自然的恐懼、對人生終極的的恐懼、對於絕望的虛無——那種死後絕對不存在的恐懼；文學在這方面跟宗教有相似之處。

很順當的人生不會產生好的文學，文學常常在充滿挫折的年代才能大放異彩。人因爲有了挫折，有了那種難以克服的壓力，才會開始對事物作深切的反省、觀察，由此累積了一種更大的反抗力，從而激發出創作的潛能。所以說文學創作特別旺盛的時代，常常是出現在價值混淆、是非不明、需要重新摸索、確立新的價值秩序的年代；像中國是在春秋戰國時代、五四前後時期，德國則是在啓蒙運動及「威瑪共和」時期，那種整個原有的秩序要瓦解的前夕，而新的社會秩序要建立的時候——一種充滿壓力與挑戰的年代。

我力量的來源在哪裏？一般而言，文學的很多壓力來自外在的，我從事改革的時候需要一種壓力，而這壓力是來自內在的，我常常覺得人要賦予自己壓力、賦予自己理想，依黑格爾的說法，所謂「世界史」，只不過是絕對精神自我展現的辯證歷程而已。以哲學家的心靈來看，我們自許是能夠來「參與」、「分享」這種絕對精神的人，但你要去分享這種絕對的精神，你就有責任要創造些什麼。在別人還沒有辦法洞見到的時候，你獨具慧眼，這不只是奇想，你要把它做出來，而且還要得到肯定；這一點很重要。每個時代總有一些頂端拔尖的人物，將他們的傑出作爲積累起來，就叫做「歷史」。

會不會成爲「另一種」文學？我不否認有這種可能。我創造的泉源和文學也有相似的地方，同樣要有壓力，但問題在於我的壓力是自己賦予的。再者，一般文學訓練不談「精確」，我則很强調「精確」的概念。至於像「社會批評」、「健康的寫實」，我想，留給別人去講。

——《聯合文學》六卷五期，一九九〇年二月

註：張寶琴爲《聯合文學》發行人

文化部的理想與實踐

——朱高正、蔣勳對談「我們需要怎樣的文化部」

文化創造的發達與否，涉及是否給予創作者足夠的尊重與自由。朱高正本其一貫之「文化國」理想，與名作家蔣勳教授，分別就文化的均權主義、教育與文化界限的分際、文化工作的落實以及文化部的使命等問題，做深入的意見交流。

季季（以下簡稱季）：自從行政院在去年決定設立文化部以來，媒體關切的焦點一直多比較集中在「誰是文化部長的適當人選？」這樣的議題上，至於我們到底需要怎樣的文化部或文化部要做哪些事？這些在設立文化部之前必須釐清的根本問題反而被疏忽了。

前不久，韓國文化部長李御寧受邀來台參加李登輝總統的就職典禮時，我們特別安排他與龍應台小姐做了一場有關文化部問題的跨國對談，我們主要的用意是希望透過這種跨國對談激盪出來的意見，能給予當局做一個參考。當時李部長在談及文化推展工作時即指出，文化的推展就像石頭上的青苔，是慢慢滋長出來的，急不得。同時，他也提到有關文化部行政人才與業務範圍的問題，在行政人才方面他認爲，如果全部都由創作的人來擔任，那麼社會的創作事業就沒有人來帶動開發了，因此把創作人才大量納入文化部的行政體系並不適宜，可能造成創作上的損失；在業務範圍方面，李部長也爲部會間事權不統一或原單位不放權的問題所困擾，比如圖書館的歸屬問題，他目前就試圖將它從教育部爭取到文化部。

韓國文化部目前的問題，可能就是我們將來成立文化部時將會面臨的難題。比如說在事權統一的問題上，未來可能納入文化部主管的業務如廣電、報紙、音樂、出版、廣告等，目前歸新聞局管轄；圖書館、博物館屬教育部的業務範圍；寺廟、古蹟的主管機關則是內政部。如果這些事務都併入文化部的行政管理體系之中，是否也會遭遇原單位的抗拒？

雖然文化部的設立已經在立法院審查通過，但上述的種種問題一直都還未被深入討論過。朱高正委員在立法院以他獨特的肢體語言聞名，但一般人都忽略了朱委員的哲學與人文素養深厚，心靈語言也相當豐富；尤其，在他一貫的政見中也特別標舉著「文化國」的主張，對文化部的問題相信應有精闢的見解。蔣勳教授除了是一位優秀的詩人、畫家、散文家、小説家外，對藝術與文化問題也經常爲文評論，廣受各界肯定。同時他也是東海大學美術系的創系主任，在他的教學理念中，並不希望將學生訓練成只是一個技術性的繪畫人才，而是更能參與、了解生活、尊重人性的「美的實踐者」。以他豐富的創作與文教經驗來看文化部的成立應具備怎樣的條件，必然也有深入的見地。因此，我們特別邀請兩位來爲一個理想的文化部定位，提出寶貴的建言。

建立以文化創造相與結合的生活共同體

朱高正（以下簡稱朱）：早在三年前我就倡議設立文化部，但對於像我們這樣一個尚未完全解除戒嚴的國家來說，我很擔心文化部所扮演的角色會成爲與「黨」的宣傳部相平行的機構，甚至可能僅是等同於一部管制藝文界人士的機器，就像當初爲納粹所統治的德國一樣。

在近代德國的經驗中，狂飆運動時期與一次大戰後的威瑪時期，可以說是德國民族最具有活力與創造力的時期，可是一到了納粹德國後便全面被封殺了。許多優秀的藝文界人士爲了爭取表達的機會與空間，常常不得不委曲求全，在人格上遭受嚴重的扭曲。在我們設立文化部時絕對不可重蹈納粹德國的覆轍，因爲文化創造的發達與否，牽涉到藝術創作及對創作者是否給予足夠的尊重與自主權。

以我們現有的「文化部」的構想，我最早接觸到的案例是從中正文化中心管理處組織條例開始的。我在教育部所擬的那份組織條例草案中發現，教育部不僅將文化中心的主管比照大專院校的校長任用，分不清「教育行政」與「文化行政」根本就是兩種不同性質的體系；更令我驚訝的是，該份草案中也無隻字片語提到：「誰有資格來兩廳院演出？」、「誰有資格審核誰有資格來兩廳院演出？」的主要條文。在這種草案下的兩廳院，令人非常擔心它很容易陷入官場酬庸的習氣，成爲官場中人結黨營私、結納權貴的工具。因此當時我即主張將兩廳院的管理改隸文化部。

除了兩廳院皆應改隸文化部外，許多教育部主管的業務也都應編納到文化部，其中牽涉最多的就是中正文化中心以及各縣市文化中心的權屬問題。若以一種「文化均權主義」的觀點來說，「文化」應該地方自主，中央政府不要什麼都想管，只有這樣才能讓各地方的文化自由地蓬勃發展。

其次，新聞局許多業務亦應畫歸文化部掌理，如廣電、出版、電影……等。新聞局應該調整它的角色，回歸到單純做爲政府發言人的角色，對內，提供行政首長施政必要的參考資訊；對外，則宣導政令，爲政府政策辯護，同時對某些不能公開的政策保密。

在內政部的業務方面，如宗教禮俗亦應歸併到文化部，事實上，如果把宗教禮俗視作一種社會文化的話，宗教經常是在一個政權產生之前就有了，很多社會上的習俗也早在政府出現之前就已形成，各有其歷史根源，不應該意圖以政治的力量來改變它，而是要尊重它。因此，文化的自主性要貫徹到這上面才對。

又如故宮博物院則更需畫歸文化部。一個民族最值得驕傲的東西就在博物館內，不管是有形的器物或無形的人生觀、宇宙觀，都應該在博物館裏看得出來。在整個國際性的文化交流中，故宮雄厚的資源雖可居間扮演重要角色，但文化交流的工作涉及諸多行政事宜，故宮本身就有管理、整理、分類上的專業工作要做，實在難有餘力再和國外進行文化交流，若畫歸文化部統一處理，這些問題應較易得到解決。再如美術館、音樂廳、圖書館等單位，凡是涉及文化事宜的項目，亦應畫歸文化部，由其統籌管理與推動。

從過去到現在，我一直都有一個「文化國」的主張，「文化國」是我從政的最高理想。在「法治國」、「社會國」裏，要保障每個國民人格的自由、自律與自主免於遭到國家公權力或經濟權力的侵犯；在「文化國」裏，更希望每個人人格的自由、自律與自主可以得到充分的發揮，國家有義務實踐這些理想。例如在德國，國家對一些實驗電影從觀賞到討論都會給予協助，而事實上這些作品都還只是作者內在人格的外化而已。如果可以做到這一點，則國家就不僅僅只是一羣人生活在法律規範下的共同體而已，更是一羣人以文化創造爲生活目標的生活共同體。一個理想的文化部也應該具有這樣的認識才對。

和世界文化進行聯繫

蔣勳（以下簡稱蔣）：如果我們以「文化建設委員會」現有的構造與功能來預測未來將要成立的文化部可能面臨的問題時，至少，去追究「爲什麼文建會在成立之始即出現體質上的偏差」這個問題是非常重要的。這種由國家官僚體系所規畫、掌理的文化部門，之所以那麼輕易地出現體質上的偏差可能來自兩個淵源，其一是執政黨的文工會；再者爲教育部。

文工會可以說是執政黨的文宣部，它很清楚地就是以政治上的導向做爲惟一的目的，由文工會主導出來的文化政策或由文工會的人進到文建會，將來再進到文化部的話，那將是個不堪設想的問題。

再則是教育部這個淵源。首先我們可以發現，長久以來我們總是際分不了教育與文化的界線，因此經常可以看到教育部與文建會間總是有權力上的牴觸，尤其是教育部的社教司。但是，一個健全的文化觀點常是教育無法涉及的，然而在台灣，每當上層開始主導一個教育觀點之前即已預設了一個價值的框框，凡是適合於這框框內的才被接納，這才使得「文建會」的體質一開始就發生了問題。直到今天，文建會的功能還一直無法具備開發性的動能，反而常以那套價值的框框來檢查音樂、戲劇、繪畫，看看是否合於它的標準。無怪乎就有人要去嘲笑文建會並沒有讓文化達到充分的人性自由，尤有甚者，更將文建會改名爲文「監」會，認爲它只是一個監察文化的機構。

如果我們將所謂的健全的文化觀拉回來看台灣歷史，其實這裏面有一個很大的悲劇。因爲台灣史是一個不斷的移民文化的過程，從先住民文化、荷西文化、明鄭文化、清朝文化而日本文化，直到一九四九年以後中原各省的移民文化，在歷次的移民文化中一直有一個共相，就是在泛政治化的理論下對前一代的文化進行否定，長期下來就使台灣的文化史無從累積，因此我常覺得那是一個非常可悲的「減法」的文化史，減到最後可能就變成一個負面的「零」的文化現象。

但事實上，一個健全的文化觀點是可以超越政治，甚至是超越朝代的興亡之上的。所以我一直盼望將來文化部的成員應該有一個理念，就是不再以政治利益做爲它惟一的導向，離開「文宣」、「教育」的工作方式，擺脫狹窄的教化觀念，回過頭來謙虛地看待在這個地方所有的人所承襲、建立起來的文化，讓它更具開發性與自主性，並以此做爲文化部立足的基礎。

另外有關文化均權主義的問題，據我們所知，一些從縣市政府人二室退休的人員、或從軍隊轉役成爲地方文職的人員，大量湧進縣市文化中心，一些通過藝術行政普考的專業人才，反而無法銓敍到縣市文化中心或省、市立美術館。這些現象，非常令人擔心整個文化體制的人事主導權，是不是出了問題，才會造成亟需專業人才的地方文化機構，反而要不到人的現象。一旦失去了專業的文化人力資源的平均配置管道，文化均權主義的理想就更難履現了。

在故宮、省市立美術館，歷史博物館方面，我認爲，將來對這些機構的角色都需重新定位、歸位，究竟哪些該屬於教育部？哪些屬於文化部？目前的角色分際顯得非常混亂，例如歷史博物館，它可能是一個對這個民族的歷史、文物或整個文化史方向具備某一種教育功能的機構，可是它現在又辦個人畫展，不知如何釐清自己的角色定位。要解決這個問題，可能就需文化部在整個文化政策上先予確定，再由中央做統籌性的處理，讓每一個單位的功能不相干擾或重疊。

至於電視、電影、廣播，它可以說是二十世紀最重要的媒體，直到現在，我個人還一直擔心在文工會式的官僚文化與商業文化的包裝下，對青少年甚至大人人格的矮化問題。尤其是在視覺媒體方面，比如「連環泡」這樣的節目，它在人的形象與思考上所產生的傷害，透明視覺符號的不斷輸出，對一般民衆的人格影響其實是一種非常强烈的主導力量；再如廣告的問題，在台灣，廣告業的發展及其所生產出來的意識觀與價值觀，其實已對台灣進行了一個文化價值上重要引導，譬如某一家口香糖的廣告，它可以以一些俏皮的圖像暗示，很奇怪地將口香糖這樣的商品和校園的性行爲連接起來，就在青少年與大學生消費這個商品的同時，可能就連同接收了某種文化的符號與價值暗示。因此，將來文化部成立後如何對這些視覺符號進行過濾，應是一項相當重要的項目。

在法國的文化部有一個很大的功能，就是它有一筆預算給專業的畫家、文學家、戲劇家，做爲他們的生活費，雖然數目不是很高，但還能維持一定的溫飽，其中光是畫家就有四萬多名。這個做法對台灣的文化官員來說，他們第一個反應就是：「支領公家費用以後，如果他們不畫畫怎麼辦？」但同樣的問題問法國人，他們的回答卻是：「我們只要出個畢卡索就夠了。」希望我們將來的文化部一定要注意到如何界定「文化工作者」與「創作者」在社會裏扮演的功能。此外，還需調整目前台灣文化官員那種常常以爲一筆補助款給文化工作者或創作時就是一種「賞賜」的心態；尤要進而提醒自己的職責就在於開發以及尋找這些人，爲這個民族、社會找到文化的創作力。

另外，在文化交流的問題上，因爲台灣本身是個小島，過去文化史上的淵源又太複雜，在各代間的政治變遷過程中，如果不以漢族做惟一的主導，那麼，包括先住民、荷西、日本、美國各種文化在內，事實上是可以造成一個非常豐富的文化累積。如果能夠透過一種開放性的交流，它將會形成一個相當健全的文化世界觀；也只有在這樣的交流過程中，一些既存在這個小島上原有的文化矛盾與尷尬才可能慢慢抵消，最後變得豐富與偉大。

正由於台灣文化史上的多元累積，使我覺得我們有條件在這麼小的島嶼上，聯接世界文化，超越政治上的狹窄性與世界文化做溝通。如果文化部要成立，就須先使這樣的文化觀先健全起來。

供養專業青年文藝工作者

朱：對於文化工作者的生活供養問題，事實上，以目前台灣的經濟條件來供應一些專致於創作的文藝工作者基本的生活費並不難。我們可以比照勞保的最低薪資額度給付，現在每月的最低額度是八千四百元，一年的總計也不過是十一萬元左右而已，以一千人來計算約一億多元。以目前國家對老兵的供養來看，每月每人光是零用金就有五千多元，加上其他食住開支，一個月總也要一萬元以上。類似這樣的老兵，在台灣榮民之家中就有六、七萬人，難道我們只能照顧榮民，卻捨不得拿一筆錢出來供養六、七萬個文藝工作者嗎？

季：我曾於一九七六年到韓國訪問，當時韓國還沒有文化部，只有一個文藝振興院。他們爲了獎勵作家創作，只要作家在一些被文化界與振興院評定的文學雜誌上發表作品，雜誌社給作家多少稿費，振興院也同額再給一次。將來文化部對於文藝創作者至少應該做到這一點，畢竟，目前大多數的文藝創作者都還需爲生活奔波，對他們的想像力和創作造成影響很大。

朱：在廣電方面，我認爲，如果能好好整頓公共電視應是最有效的途徑。但目前的問題是，公共電視的製作小組直接隸屬於廣電基金會，而廣電基金會的董事長卻由新聞局長兼任。這個問題必須解決，至少公視的製作小組應該是獨立的，而廣電基金會的董事長則應該聘任文化界人士出任，取消新聞局長兼任；此外，不同黨派的民意代表在基金會二十一個董事中亦需占五個席次，如此才可以降低執政黨色彩。我相信，只要公共電視台健全，其他電視台的一些光怪陸離現象便能隨之獲得改善。

另外，在整個用人管道上，文化部是一個新單位，需才最殷，應先有一套薦才晉用的培訓計畫；而對現有的一些負責文化行政的主管人員，也應該進行再教育。

蔣：巴黎的都市建築與古蹟聞名世界，這個城市本身其實就是一個「文化年輪」。我在巴黎的經驗使我想到，台灣是否也可以由某些地方，如台南、鹿港、美濃等地，試圖去構成一個文化年輪，見證台灣開發的歷史。但是文化年輪的構成既非建築設計，也不是古蹟，而是兩者中間連接的部分，將來文化部是否有權統籌、管轄，確是一個至爲重要的課題。

然而，以目前台灣文化部門的運作狀況來看，基本上它不只無法佔有權力，更難以在理念上獨立於所有的干涉之外，我想這是文化部門一向屈從於政治、本著政策理念扮演文宣的角色所累致的結果。因此，如何使台灣超越政治疆域的界限，讓它的文化與其他地區的文化進行交流、相互影響，除了需要一個能免除各種泛政治干涉的强勢文化部外，還需具備一個偉大的文化世界觀。這在中國古代並不缺乏例子，譬如《史記》，它就標舉它很多人格審美的榜樣，如屈原、項羽等，我想，司馬遷在《史記》中所建立的是一個文化上的完滿度與民族的風範。將來文化部成立了，就必須去尊重像司馬遷這種開展民族個性審美觀的人，因爲，如果社會上少了這些人，將會是一個奴性的社會。

朱：如果司馬遷是在漢武帝罷黜百家、獨尊儒術以後才開始寫《史記》的話，恐怕史記就沒有那麼活潑而人性化了。我想，將來我們所需要的强勢文化部門，要的並不是「罷黜百家、獨尊儒術」的那種文化，而是要將現實的政治影響力摒除在外。

另外，在古蹟的維護方面，現在可能存在諸多困難，不惟技術多已失傳，維護經費也相當龐大，因此，如果古蹟將來併屬文化部的話，文化部除了需提供足夠經費補貼，也應將維護古蹟的技術納入教育系統，在特定的大學或職校中設立專門科系來培養這方面的專業人才。

季：我覺得國人至今尚無維護古蹟的習慣，而政府對於一些被劃入古蹟的私人建築物也未給予較積極的補助（如免稅）。其結果是許多古蹟一旦被政府評定之後反而日趨頹圮、破敗。未來文化部若將古蹟管理劃入轄內，對於一些屬於私人產業的古蹟，應考慮給予免稅，甚至可向參觀者酌收少量入場費，作爲維護費用。此外，古蹟之美更應與國民教育結合，文化部理應規畫各級學生參觀不同古蹟文物的活動，藉此機會讓國民從小就開始培育認識文化事務的情懷，對整個民族的開發史得到一個活生生的認識與啓示的機會。

蔣：日本人在這方面就很有計畫地在做。我在故宮就時常看到日本老師帶著學生一邊參觀，一邊解說，甚至在歐洲也可以看到同樣的情形。日本人一向很積極吸收世界各地的文化，在整個吸收世界文化的過程中，日本青年自然可以比其他國家的青年更容易培養出豐富的文化觀與世界觀，將來不論從事哪一種行業，都會有一個比較健全的創造立場。然而，今天在台灣的文化工作，長期附屬於教育與文宣之下，台灣青年不論是人格的健全度或生命的開展度，在在受到很大的侷限。甚至是一種扭曲。

我想文化是族羣共同的生存記憶，應該經由建築、音樂、繪畫把它建立起來，否則人們對過去將沒有記憶。如果沒有人去延續過去的記憶，文化就會成爲非常輕薄的東西。

朱：我覺得，一個時代有沒有希望，就看是否有一個偉大的思想體系出現。我們只要稍加回顧一下世界文明史就可以發現，金碧輝煌如希臘、羅馬文化於今安在？而那華美飽滿的埃及文化也已日薄崦嵫了，究其實，主要是這些沒落的文明在過去所建立起來的思想體系，已經爲後起的基督教文明所替代。我們整個民族文化的創造力，在這個時代中的一個重大挑戰就是如何去超越它們。

蔣：朱委員是否認爲將來文化部也應以一個具創造力的思想體系來主導？

朱：其實，思想主導應僅止於凸顯文化的主體性，而非思想控制或一味崇洋，否則在未來的文化發展進程中，很容易失去「我羣」的意識與觀念，最後可能變成迷失於重重波濤上的浮萍。

蔣：站在一個文化主體性的立場上，我們在看待西方文化時，其實還是要以自己民族的角度來審視、吸收，否則很容易失掉文化的自主性。以公共電視台爲例，如果只是盲目地引介外國製作的影片，那麼我們所接收的視訊內容以及對世界的解釋，都還是外國的角度與立場。與其如此，倒不如以有限的技術條件和自己的角度與立場去拍攝、介紹、認識解釋這個世界的文化。

朱：如果我們還能進一步和自己的文化做對比，應該更能加深文化的認同强度，因此，除了自己製作的影片外，即使我們進口了外國的影集，也應該重新加以剪接和自己文化有關的內容做過比較後再播出。

季：有關文化主體性的建立，我相信它是一個非常綿長深鉅的累積過程。但當務之急是我們的文化部已經確定要成立，在我們討論過一個理想的文化部該有怎樣的文化觀與行政領域之後，兩位認爲一個理想的文化部長應該具備怎樣的條件？不少國家的文化部長都由作家出任，這一點你們的看法如何？

蔣：我想他首先必需擺脫的是過去由執政黨主導下的文宣工作心態，以及那種由上而下以教化的意識對待老百姓的角色。文化的工作惟有跳開政治的陰影，才有可能從事文化與民族記憶的連接工作。

朱：我個人認爲，文化部長的人選應該具備五個條件：㈠本身具備文藝創作的經驗；㈡充分尊重文化自主性；㈢能以寬闊的胸襟規劃中長期的文化政策；㈣優越的行政能力；㈤黨政淵源不深，並享有崇高的民間聲望。

——《中國時報》一九九一年十月十二、十三日

跋

《朱高正作品精選集》輯錄筆者最近十年來的作品，編爲《現代中國的崛起》、《台灣民主化的經驗與教訓》及《縱橫古今談》三卷。

筆者自一九八五年九月由歐洲學成歸國，以迄一九九五年七月，合計發表約二百萬言，其中與《易經》有關的約五十萬言，編爲《周易六十四卦通解》、《易經白話例解》與《乾坤大挪移》三書，由「台灣商務印書館」發行。今則從另一百五十萬言中挑揀出最具代表性的五十萬言，編爲《精選集》三卷。

在此之前，筆者的作品大多蒐集在《和平革命》四書（依次爲《春雷1986》、《驚蟄1987》、《大風起1988》、《雲飛揚1989》）、由天下文化出版公司於一九九三年印行的《和平革命》、《新社會》、《再造傳統》三書，以及由歐洲文教基金會於一九九四年編印的《撥亂反正》一書。

《朱高正作品精選集》乃筆者返台以來的人文思考所留下的實錄。自投入選舉以來，筆者一直被視爲台灣最具爭議性的政治人物；此實肇因於筆者本就不宜以一般政治人物的標準來評量。筆者經營文字自成一格，《精選集》中幾無應景之作或國會質詢稿。大多數作品是具有高度針對性的思想論述和人文關懷，尤其是收錄在第三卷《縱橫古今談》的文章更是值得向讀者諸君推薦。此外，即使是對現實政治的批判或對當代人物的月旦，也莫不以學理爲依據，以史實爲借鑑。總之，收錄在第一、三兩卷的作品較能反映出筆者的襟抱與終極關懷；至於收錄在第二卷的作品則多與現實政治有關。

筆者涉身政治，總是抱持「但開風氣之先」的自我期許。一九八六年是筆者的「黨外時期」，在風聲鶴唳的戒嚴體制下，毅然投入黨外民主運動。爲突破黨禁，筆者運籌於內，衝鋒於外，乃能於九月廿八日圓山大飯店的黨外集會中，輔以「臨門一腳」，肇建了台灣第一個反對黨——民主進步黨。這段期間的作品，如〈組黨是人民的基本權利——一個憲法解釋的嘗試〉和〈辯證邏輯與民主政治〉（收在第二卷），都已是台灣邁向政黨政治的重要文獻。

一九八七到八九年是筆者的「民進黨時期」。這段期間，爲了台灣的民主化，爲了政黨政治的健全發展，從解除戒嚴、國會全面改選到廢除臨時條款，筆者無役不與，也常在緊要時刻扮演關鍵性的角色。對於「非常體制」違憲性的批判和國會全面改選的法理基礎，在第二卷有關「回歸民主憲政」的篇章中可以尋獲。筆者苦心孤詣，對民進黨發展過程中的偏差時常提供建言：〈政黨政治的省思與展望〉和〈民進黨健全發展的危機〉都是這一類的逆耳忠言。政黨政治的雛型在筆者縱橫捭闔之下亦得以確立，包括民進黨立法院黨團的組建及其與國民黨溝通、互動的模式，也是在筆者全力參與下逐漸完成的。及至後來民進黨悖離「住民自決原則」而採行「台獨」黨綱，筆者基於民族大義，義無反顧地離開手創的政黨。其實，早在八八年筆者即不反對台灣有一個主張台獨的政黨，俾中共蠻橫不講理或大陸又發生類似文革悲劇時，我們就可讓台獨的聲浪高些，以保障台灣全體同胞的福祉，並為建立一個尊重人權、政治民主、社會公平正義有保障的新中國保留一絲生機。但筆者可不希望民進黨就是這個政黨，因為這樣的政黨註定淪為他黨的籌碼，而不可能成為執政黨。而今台獨基本教義派也已決定由民進黨出走，自組建國黨，正應驗筆者當年的「逆耳忠言」，相信今後民進黨當可順利走出悲情的陰影，為我國未來政黨政治的發展做出更正面的貢獻。

一九九〇到九三年是筆者的「社民黨時期」。〈我對另組新黨的沈思——社會菁英的政治責任〉（第二卷）一文明確表達我對時局的憂心和組織新政黨、結合社會菁英以救國救民的初衷。嗣後，筆者的國家哲學——有關「法治國」、「社會國」與「文化國」的理論與實踐——則展現在第一卷有關「立足傳統的國家現代化理想」的篇章中。

一九九三年，新國民黨連線從國民黨出走，台灣政壇上的「第三勢力」起了結構性的變化。筆者於是積極參與促成「第三勢力」的整合，以與國民黨和民進黨相抗衡。〈與新黨對等合併之後，我們應有的努力方向〉（第二卷）一文提供了當初社民黨與新黨「對等合併」的第一手資料。終於在一九九五年底，筆者不計名位、毀譽，領軍跨越濁水溪，在高雄建立了新黨南進的橋頭堡。

筆者從政十年，不管遭逢任何橫逆頓挫，皆一本知識分子的良知，有所爲，有所不爲，絕不因現實利害的轇轕而扭曲應有的堅持。

最後，筆者要感謝「台灣學生書局」，在本《精選集》由筆者自行發行五千套之後，仍予以重新出版，俾更多人士得以接觸到筆者的作品。筆者同時也要感謝前中央研究院院長吳大猷先生慨然作序，更增添本書的光彩。

朱高正謹識於一九九六年十一月一日

國家圖書館出版品預行編目資料

朱高正作品精選集，第三卷，**縱橫古今談**
／朱高正著. -- 一版，-- 臺北市：
臺灣學生，民85
面；　公分
ISBN 957-15-0763-6(平裝)

1.論叢與雜著

078　　　　85007020

朱高正作品精選集　第三卷
縱橫古今談

著作者：朱高正
出版者：臺灣學生書局
發行人：丁文治
發行所：臺灣學生書局
臺北市和平東路一段一九八號
郵政劃撥帳號〇〇〇二四六六八號
電話：三六三四一五六
傳眞：三六三六三三四

本書局登記證字號：行政院新聞局局版臺業字第一一〇〇號

印刷所：豪信彩色照相製版有限公司
地址：台北市長泰街一三九巷二一號
電話：三〇五八二七二

總經銷：北城圖書有限公司
地址：三重市大智街一三九號
電話：九八一八〇八九

定價平裝新臺幣四〇〇元

西元一九九六年十一月學一版

57309

ISBN　957-15-0763-6（平裝）